CHINESE MADE EASY

2 **Textbook**

Traditional Characters Version

輕鬆學漢語（課本）

Yamin Ma
Xinying Li

Joint Publishing (H.K.) Co., Ltd.
三聯書店（香港）有限公司

Chinese Made Easy (Textbook 2)

Yamin Ma, Xinying Li

Editor	Chen Cuiling, Luo Fang
Art design	Arthur Y. Wang, Yamin Ma, Xinying Li
Cover design	Arthur Y. Wang, Amanda Wu
Graphic design	Amanda Wu
Typeset	Feng Zhengguang, Amanda Wu, Lin Minxia

Published by
JOINT PUBLISHING (H.K.) CO., LTD.
Rm. 1304, 1065 King's Road, Quarry Bay, Hong Kong

Distributed in Hong Kong by
SUP PUBLISHING LOGISTICS (HK) LTD.
3/F., 36 Ting Lai Road, Tai Po, N.T., Hong Kong

First published November 2001
Second edition, first impression, July 2006
Second edition, fourth impression, August 2011

Copyright ©2001, 2006 Joint Publishing (H.K.) Co., Ltd.

You can contact us via the following:
Tel: (852) 2525 0102, (86) 755 8343 2532
Fax: (852) 2845 5249, (86) 755 8343 2527
Email: publish@jointpublishing.com
http://www.jointpublishing.com/cheasy/

輕鬆學漢語 (課本二)

編　著　馬亞敏　李欣穎

責任編輯	陳翠玲　羅　芳
美術策劃	王　宇　馬亞敏　李欣穎
封面設計	王　宇　吳冠曼
版式設計	吳冠曼
排　版	馮政光　吳冠曼　林敏霞

出　版	三聯書店（香港）有限公司
	香港鰂魚涌英皇道1065號1304室
香港發行	香港聯合書刊物流有限公司
	香港新界大埔汀麗路36號3字樓
印　刷	中華商務彩色印刷有限公司
	香港新界大埔汀麗路36號14字樓
版　次	2001年11月香港第一版第一次印刷
	2006年7月香港第二版第一次印刷
	2011年8月香港第二版第四次印刷
規　格	大16開 (210 x 280mm) 136面
國際書號	ISBN 978-962-04-2596-7

©2001, 2006 三聯書店（香港）有限公司

Authors' acknowledgments

We are grateful to all the following people who have helped us to put the books into publication:

- Our publisher, 李昕, 陳翠玲 who trusted our ability and expertise in the field of Mandarin teaching and learning, and supported us during the period of publication
- Professor Zhang Pengpeng who inspired us with his unique and stimulating insight into a new approach to Chinese language teaching and learning
- Mrs. Marion John who edited our English and has been a great support in our endeavour to write our own textbooks
- 張誼生, Vice Dean of the Institute of Linguistics, Shanghai Teachers University, who edited our Chinese
- Arthur Y. Wang, 于霆、萬瓊、高燕、張慧華, Annie Wang for their creativity, skill and hard work in the design of art pieces. Without Arthur Y. Wang's guidance and artistic insight, the books would not have been so beautiful and attractive
- 梁玉熙 and Tony Zhang who assisted the authors with the sound recording
- Our family members who have always supported and encouraged us to pursue our research and work on this series. Without their continual and generous support, we would not have had the energy and time to accomplish this project

INTRODUCTION

■ The series of *Chinese Made Easy* consists of 5 books, designed to emphasize the development of communication skills in listening, speaking, reading and writing. The primary goal of this series is to help the learners use Chinese to exchange information and to communicate their ideas. The unique characteristic of this series is the use of the Communicative Approach adopted in teaching Chinese as a foreign language. This approach also takes into account the differences between Chinese and Romance languages, in that the written characters in Chinese are independent of their pronunciation.

■ The whole series is a two-level course: level 1 – Book 1, 2 and 3; and level 2 – Book 4 and 5. All the textbooks are in colour and the accompanying workbooks and teacher's books are in black and white.

COURSE DESIGN

■ The textbook covers texts and grammar with particular emphasis on listening and speaking. The style of texts varies according to the content. Grammatical rules are explained in note form, followed by practice exercises. There are several listening and speaking exercises for each lesson.

■ The textbook plays an important role in helping students develop oral communication skills through oral tasks, such as dialogues, questions and answers, interviews, surveys, oral presentations, etc. At the same time, the teaching of characters and character formation are also incorporated into the lessons. Vocabulary in earlier books will appear again in later books to reinforce memory.

■ The workbook contains extensive reading materials and varied exercises to support the textbook.

■ The teacher's book provides keys to the exercises in both textbook and workbook, and it also gives suggestions, such as how to make a good use of the exercises and activities in order to maximize the learning. In the teacher's book, there is a set of tests for each unit, testing four language skills: listening, speaking, reading and writing.

Level 1:

■ Book 1 includes approximately 250 new characters, and Book 2 and Book 3 contain approximately 300 new characters each. There are 5 units in each textbook, and 3-5 lessons in each unit. Each lesson introduces 20-25 new characters.

■ In order to establish a solid foundation for character learning, the primary focus for Book 1 is the teaching of radicals (unit 1), character writing and character formation. Simple and independent characters are introduced through short rhymes in unit 2 to unit 5.

■ Book 2 and 3 continue the development of communication skills, as well as introducing China, its culture and customs through three pieces of simple texts in each unit.

■ To ensure a smooth transition, some pinyin is removed in Book 2 and a lesser amount of pinyin in later books. We believe that the students at this stage still need the support of pinyin when doing oral practice.

Level 2:

■ Book 4 and 5 each includes approximately 350 new characters. There are 4 units in the textbook and 3 lessons in each unit. Each lesson introduces about 30 new characters.

■ The topics covered in Book 4 and 5 are contemporary in nature, and are interesting and relevant to the students' experience.

■ The listening and speaking exercises in Book 4 and 5 take various forms, and are carefully designed to reflect the real Chinese speaking world. The students are provided with various speaking opportunities to use the language in real situations.

- Reading texts in various formats and of graded difficulty levels are provided in the workbook, in order to reinforce the learning of vocabulary, grammar and sentence structure.

- Dictionary skills are taught in Book 4, as we believe that the students at this stage should be able to use the dictionary to extend their learning skills and become independent learners of Chinese.

- To ensure a smooth transition, some pinyin is still provided in Book 4 and a lesser amount in Book 5. We believe that the students at this stage still need the support of pinyin when doing oral practice.

- Writing skills are reinforced in Book 4 and 5. The writing task usually follows a reading text, so that the text will serve as a model for the students' own reproduction of the language.

- Extensive reading materials with an international flavour is included in the workbook. Students are exposed to Chinese language, culture and traditions through authentic texts.

COURSE LENGTH

- Books 1, 2 and 3 each covers approximately 100 hours of class time, and Books 4 and 5 might need more time, depending on how the book is used and the ability of students. Workbooks contain extensive exercises for both class and independent learning. The five books are continuous and ongoing, so they can be taught within any time span.

HOW TO USE THIS BOOK

Here are a few suggestions from the authors:

- The listening and speaking exercises in the textbook provide opportunities for the learners to understand and use the language in a meaningful way. Teachers should provide students with opportunities to talk about their favourite colours, the clothes that they like to wear, the weather conditions in their own countries, their hobbies, their school life and the like.

- The three reading texts for each unit in the textbook introduce China and its culture in simple structures with controlled vocabulary. Students are expected to recite them, if they can, as we believe that by repetition, students are able to develop a feeling for the target language.

- Developing reading comprehension skills is one of the important targets of this book. We take three steps to achieve this goal: (1) students are given opportunities to guess the meanings of new phrases, (2) by translating short sentences containing new phrases, students learn to work out the meanings within the context, and (3) by reading postcards, notices, short passages, etc., students learn to engage in near authentic communication requiring both old and new knowledge and language skills. There is a wide range of reading material in various forms in the workbook.

- The text for each lesson, the listening comprehension and reading texts are on the CDs attached to the textbook. The symbol indicates the track number, for example, CD1 T1 is CD 1, Track 1.

Yamin Ma
June, 2006 Hong Kong

CONTENTS 目　錄

第一單元　顏色、衣服

第一課　我喜歡黃色

1

zhè shì wǒ de yì jiā wǒ jiā
這是我的一家。我家
yí gòng yǒu wǔ kǒu rén bà ba mā
一共有五口人：爸爸、媽
ma jiě jie mèi mei hé wǒ wǒ jiào
媽、姐姐、妹妹和我。我叫
wáng fāng jīn nián shí èr suì shàng zhōng
王方，今年十二歲，上中
xué yì nián jí wǒ xǐ huan huáng sè
學一年級。我喜歡黃色。

2

zhè shì wǒ jiě jie tā jiào wáng hóng
這是我姐姐。她叫王紅，
jīn nián shí sì suì tā yě shì zhōng xué shēng
今年十四歲。她也是中學生，
jīn nián shàng zhōng xué sān nián jí tā yě xǐ
今年上中學三年級。她也喜
huan huáng sè hái xǐ huan lán sè
歡黃色，還喜歡藍色。

3

zhè shì wǒ mèi mei tā
這是我妹妹。她
jiào wáng guāng jīn nián wǔ suì
叫王光，今年五歲，
hái méi yǒu shàng xué tā xǐ huan
還沒有上學。她喜歡
bái sè hóng sè hé lǜ sè
白色、紅色和綠色。

5

zhè shì wǒ bà ba tā shì gōng chéng
這是我爸爸。他是工程
shī zài yì jiā rì běn gōng sī gōng zuò cóng
師，在一家日本公司工作。從
xīng qī yī dào xīng qī wǔ tā měi tiān zǎo
星期一到星期五，他每天早
shang bā diǎn shàng bān xià wǔ wǔ diǎn xià
上八點上班，下午五點下
bān wǒ bà ba xǐ huan hēi sè hé zōng sè
班。我爸爸喜歡黑色和棕色。

4

zhè shì wǒ mā ma tā shì hù
這是我媽媽。她是護
shi zài yì jiā yī yuàn gōng zuò tā xīng
士，在一家醫院工作。她星
qī yī sān wǔ shàng wǔ shàng bān xīng
期一、三、五上午上班，星
qī èr sì liù xià wǔ shàng bān tā
期二、四、六下午上班。她
xǐ huan zǐ sè huī sè hé lán sè
喜歡紫色、灰色和藍色。

(1) 王方一家有幾口人？
wáng fāng yì jiā yǒu jǐ kǒu rén

(2) 她有幾個兄弟姐妹？
tā yǒu jǐ ge xiōng dì jiě mèi

(3) 王方今年多大了？ 上幾年級？
wáng fāng jīn nián duō dà le shàng jǐ nián jí

(4) 王方喜歡什麼顏色？
wáng fāng xǐ huan shén me yán sè

(5) 王方的姐姐叫什麼名字？
wáng fāng de jiě jie jiào shén me míng zi

(6) 她喜歡什麼顏色？
tā xǐ huan shén me yán sè

(7) 王方的妹妹幾歲了？
wáng fāng de mèi mei jǐ suì le

(8) 她妹妹喜歡什麼顏色？
tā mèi mei xǐ huan shén me yán sè

(9) 王方的媽媽做什麼工作？
wáng fāng de mā ma zuò shén me gōng zuò

(10) 她媽媽喜歡什麼顏色？
tā mā ma xǐ huan shén me yán sè

(11) 王方的爸爸做什麼工作？
wáng fāng de bà ba zuò shén me gōng zuò

(12) 她爸爸喜歡什麼顏色？
tā bà ba xǐ huan shén me yán sè

New Words

❶ 黄 yellow
huáng

❷ 色 colour 黄色 yellow
sè   huáng sè

❸ 一共 altogether
yí gòng

❹ 還（还）still; in addition
hái

❺ 藍（蓝）blue 藍色 blue
lán   lán sè

❻ 白色 white
bái sè

❼ 紅（红）色 red
hóng   sè

❽ 緑（绿）green
lǜ

緑色 green
lǜ sè

❾ 紫 purple 紫色 purple
zǐ   zǐ sè

❿ 黑 black 黑色 black
hēi   hēi sè

⓫ 棕 brown 棕色 brown
zōng   zōng sè

⓬ 顔（颜）face; colour
yán

顔色 colour
yán sè

1 Match the colours with the words.

hóng	bái	lǜ	huáng	lán	zōng	hēi	huī	zǐ
紅	白	綠	黃	藍	棕	黑	灰	紫

2 Circle the right colour.

1

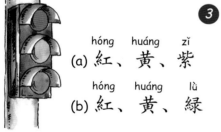

hóng sè
(a) 紅色

bái sè
(b) 白色

2

huī sè　　lǜ sè
(a) 灰色、綠色

hóng sè　　lán sè
(b) 紅色、藍色

3

hóng huáng zǐ
(a) 紅、黃、紫

hóng huáng lǜ
(b) 紅、黃、綠

4

hēi sè　　bái sè
(a) 黑色、白色

hóng sè　　lǜ sè
(b) 紅色、綠色

5

bái sè　　lán sè
(a) 白色、藍色

huī sè　　lǜ sè
(b) 灰色、綠色

6

zōng sè
(a) 棕色

zǐ sè
(b) 紫色

7

huī sè
(a) 灰色

huáng sè
(b) 黃色

謎語 Riddle

liǎng xiōng dì
兩兄弟,

zhù liǎng dì
住兩地,

nǐ kàn bu jian wǒ
你看不見我,

wǒ kàn bu jian nǐ
我看不見你。

(打一身體部位)

3 Say the colours in Chinese.

4 Match the pinyin with the words.

(1) lánsè	(a) 黄色
(2) hóngsè	(b) 黑色
(3) lǜsè	(c) 灰色
(4) zǐsè	(d) 藍色
(5) báisè	(e) 紅色
(6) hēisè	(f) 白色
(7) huīsè	(g) 棕色
(8) huángsè	(h) 绿色
(9) zōngsè	(i) 紫色

5 Say the colours in Chinese.

1.

2.

3.

4.

5.

6.

7.

8.

9.

10.

6 CD1 T2 **Listen to the recording. Choose the right answer.**

❷

❸

❶

(1) ^{tā jiào}他 叫 ＿＿＿＿。

　(a) 田文　(b) 田雲

(1) ^{tā jiào}她 叫 ＿＿＿＿。

　(a) 張力　　(b) 章文

(2) ^{tā shì}她 是 ＿＿＿＿^{rén}人。

　(a) 上海　　(b) 北京

(3) ^{tā huì shuō}她 會 説 ＿＿＿＿。

　(a) 英語和普通話

　(b) 漢語和日語

(4) ^{tā shì}她 是 ＿＿＿＿。

　(a) 秘書　　(b) 醫生

(5) ^{tā xǐ huan}她 喜 歡 ＿＿＿＿。

　(a) 紅色、黃色和紫色

　(b) 白色、黑色和藍色

(2) ^{tā zài}他 在 ＿＿ ^{chū shēng}出 生，^{dàn shì zài}但 是 在 ＿＿＿＿^{zhǎng dà}長 大。

　(a) 日本，英國

　(b) 中國，日本

(3) ^{tā shì}他 是 ＿＿＿＿，^{zài}在 ^{yì jiā}一 家 ＿＿＿＿^{gōng zuò}工 作。

　(a) 工程師，公司

　(b) 經理，酒店

(4) ^{tā xǐ huan}他 喜 歡 ＿＿＿＿。

　(a) 藍色和棕色

　(b) 灰色和黑色

(1) ^{tā jiào}他 叫 ＿＿＿＿。

　(a) 方明　　(b) 李明

(2) ^{tā shì}他 是 ＿＿＿＿。

　(a) 銀行家 (b) 商人

(3) ^{tā tài tai shì}他 太 太 是 ＿＿＿＿。

　(a) 漢語老師

　(b) 家庭主婦

(4) ^{tā yǒu}他 有 ＿＿＿＿^{ge ér zi}個兒子、＿＿＿＿^{ge nǚ ér}個女兒。

　(a) 一，兩　(b) 兩，一

(5) ^{tā xǐ huan}他 喜 歡 ＿＿＿＿。

　(a) 黃色和綠色

　(b) 棕色和藍色

hēi sè de zì xíng chē
(1) 黑色的自行車

hóng sè de qì chē
(2) 紅色的汽車

lán sè de shū bāo
(3) 藍色的書包

hēi sè de tóu fa
(4) 黑色的頭髮

zōng sè de kǒu hóng
(5) 棕色的口紅

zǐ sè de yīng wén shū
(6) 紫色的英文書

lǜ sè de hàn yǔ shū
(7) 綠色的漢語書

huī sè de dà xiàng
(8) 灰色的大象

huáng sè de bǐ
(9) 黃色的筆

bái sè de dà mén
(10) 白色的大門

hēi sè de chū zū chē
(11) 黑色的出租車

yín sè de fēi jī
(12) 銀色的飛機

lán sè de dà hǎi
(13) 藍色的大海

zōng sè de mǎ
(14) 棕色的馬

lán tiān
(15) 藍天

bái yún
(16) 白雲

wū yún
(17) 烏雲

huáng tǔ dì
(18) 黃土地

---

8 (CD1) T3 Listen to the recording. Fill in the blanks with pinyin.

de fēi jī
(1) _huīsè_ 的飛機

de dà hǎi
(2) _____ 的大海

de chū zū chē
(3) _____ 的出租車

de chuán
(4) _____ 的船

de zì xíng chē
(5) _____ 的自行車

de rì yǔ shū
(6) _____ 的日語書

de xiào chē
(7) _____ 的校車

de shū bāo
(8) _____ 的書包

9 Say the colours in Chinese.

①
zhōng guó
中國

④
fǎ guó
法國

②
dé guó
德國

⑤
mǎ lái xī yà
馬來西亞

③
ào dà lì yà
澳大利亞

⑥
měi guó
美國

6

閱讀（一） 文房四寶 CD1 T4

zhōng guó rén de　　wén fáng sì bǎo　shì
中國人的"文房四寶"是：

bǐ　　mò　　zhǐ　　yàn　　zhōng guó rén yòng tā
筆、墨、紙、硯。中國人用它

men xiě máo bǐ zì　　huà zhōng guó huà
們寫毛筆字、畫中國畫。

New Words

1. fáng
   房 house; room

2. bǎo
   寶（宝）treasure; precious

   wén fáng sì bǎo
   文房四寶 the four treasures
   of the study

3. mò
   墨 ink; ink stick

4. zhǐ
   紙（纸）paper

5. yàn
   硯（砚）inkstone; inkslab

6. tā
   它 it

   tā men
   它們 they; them

7. máo bǐ zì
   毛筆字 calligraphy

8. zhōng guó huà
   中國畫 Chinese painting

第二課　他們穿校服上學

CD1 T5

1

xià tiān　guāng míng zhōng xué de
夏天，光明中學的

nǚ xué shēng chuān lán gé zi duǎn xiù chèn
女學生穿藍格子短袖襯

shān hé lán sè de duǎn qún　jiǎo shang
衫和藍色的短裙，腳上

chuān hēi pí xié hé bái wà zi
穿黑皮鞋和白襪子。

3

dōng tiān　xīng hǎi zhōng
冬天，星海中

xué de nǚ xué shēng chuān huáng
學的女學生穿黃

tiáo zi lián yī qún　zōng sè
條子連衣裙，棕色

de máo yī hé zōng sè de ní
的毛衣和棕色的呢

zi wài tào　jiǎo shang chuān
子外套，腳上穿

hēi pí xié hé bái wà zi
黑皮鞋和白襪子。

2

xià tiān　guāng míng zhōng
夏天，光明中

xué de nán xué shēng chuān lán tiáo
學的男學生穿藍條

zi duǎn xiù chèn shān hé lán duǎn
子短袖襯衫和藍短

kù　jiǎo shang chuān hēi pí
褲，腳上穿黑皮

xié hé hēi wà zi
鞋和黑襪子。

4

dōng tiān　xīng hǎi zhōng xué de nán xué shēng
冬天，星海中學的男學生

chuān bái sè de cháng xiù chèn shān　huī sè de cháng
穿白色的長袖襯衫，灰色的長

kù zōng sè de máo yī hé zōng sè de ní zi wài
褲，棕色的毛衣和棕色的呢子外

tào　jiǎo shang chuān hēi pí xié hé hēi wà zi
套，腳上穿黑皮鞋和黑襪子。

True or false?

( ) (1) <ruby>夏<rt>xià</rt></ruby><ruby>天<rt>tiān</rt></ruby>，<ruby>光<rt>guāng</rt></ruby><ruby>明<rt>míng</rt></ruby><ruby>中<rt>zhōng</rt></ruby><ruby>學<rt>xué</rt></ruby><ruby>的<rt>de</rt></ruby><ruby>女<rt>nǚ</rt></ruby><ruby>學<rt>xué</rt></ruby><ruby>生<rt>shēng</rt></ruby><ruby>穿<rt>chuān</rt></ruby><ruby>藍<rt>lán</rt></ruby><ruby>條<rt>tiáo</rt></ruby><ruby>子<rt>zi</rt></ruby><ruby>短<rt>duǎn</rt></ruby><ruby>袖<rt>xiù</rt></ruby><ruby>襯<rt>chèn</rt></ruby><ruby>衫<rt>shān</rt></ruby>。

( ) (2) <ruby>夏<rt>xià</rt></ruby><ruby>天<rt>tiān</rt></ruby>，<ruby>光<rt>guāng</rt></ruby><ruby>明<rt>míng</rt></ruby><ruby>中<rt>zhōng</rt></ruby><ruby>學<rt>xué</rt></ruby><ruby>的<rt>de</rt></ruby><ruby>男<rt>nán</rt></ruby><ruby>學<rt>xué</rt></ruby><ruby>生<rt>shēng</rt></ruby><ruby>腳<rt>jiǎo</rt></ruby><ruby>上<rt>shang</rt></ruby><ruby>穿<rt>chuān</rt></ruby><ruby>黑<rt>hēi</rt></ruby><ruby>皮<rt>pí</rt></ruby><ruby>鞋<rt>xié</rt></ruby><ruby>和<rt>hé</rt></ruby><ruby>黑<rt>hēi</rt></ruby><ruby>襪<rt>wà</rt></ruby><ruby>子<rt>zi</rt></ruby>。

( ) (3) <ruby>冬<rt>dōng</rt></ruby><ruby>天<rt>tiān</rt></ruby>，<ruby>星<rt>xīng</rt></ruby><ruby>海<rt>hǎi</rt></ruby><ruby>中<rt>zhōng</rt></ruby><ruby>學<rt>xué</rt></ruby><ruby>的<rt>de</rt></ruby><ruby>女<rt>nǚ</rt></ruby><ruby>學<rt>xué</rt></ruby><ruby>生<rt>shēng</rt></ruby><ruby>穿<rt>chuān</rt></ruby><ruby>短<rt>duǎn</rt></ruby><ruby>裙<rt>qún</rt></ruby>。

( ) (4) <ruby>冬<rt>dōng</rt></ruby><ruby>天<rt>tiān</rt></ruby>，<ruby>星<rt>xīng</rt></ruby><ruby>海<rt>hǎi</rt></ruby><ruby>中<rt>zhōng</rt></ruby><ruby>學<rt>xué</rt></ruby><ruby>的<rt>de</rt></ruby><ruby>男<rt>nán</rt></ruby><ruby>學<rt>xué</rt></ruby><ruby>生<rt>shēng</rt></ruby><ruby>不<rt>bù</rt></ruby><ruby>穿<rt>chuān</rt></ruby><ruby>校<rt>xiào</rt></ruby><ruby>服<rt>fú</rt></ruby><ruby>上<rt>shàng</rt></ruby><ruby>學<rt>xué</rt></ruby>。

New Words

1 <ruby>穿<rt>chuān</rt></ruby> wear

2 <ruby>校服<rt>xiào fú</rt></ruby> school uniform

3 <ruby>格<rt>gé</rt></ruby> check　<ruby>格子<rt>gé zi</rt></ruby> check

4 <ruby>短<rt>duǎn</rt></ruby> short

5 <ruby>袖<rt>xiù</rt></ruby> sleeve　<ruby>短袖<rt>duǎn xiù</rt></ruby> short-sleeved

6 <ruby>襯<rt>chèn</rt></ruby>（衬） lining

7 <ruby>衫<rt>shān</rt></ruby> unlined upper garment

<ruby>襯衫<rt>chèn shān</rt></ruby> shirt

<ruby>短袖襯衫<rt>duǎn xiù chèn shān</rt></ruby> short-sleeved shirt

<ruby>長袖襯衫<rt>cháng xiù chèn shān</rt></ruby> long-sleeved shirt

8 <ruby>裙<rt>qún</rt></ruby> skirt　<ruby>裙子<rt>qún zi</rt></ruby> skirt

<ruby>短裙<rt>duǎn qún</rt></ruby> short skirt

9 <ruby>腳<rt>jiǎo</rt></ruby>（脚） foot

10 <ruby>皮<rt>pí</rt></ruby> leather; skin

11 <ruby>鞋<rt>xié</rt></ruby> shoe　<ruby>皮鞋<rt>pí xié</rt></ruby> leather shoes

12 <ruby>襪<rt>wà</rt></ruby>（袜） socks　<ruby>襪子<rt>wà zi</rt></ruby> socks

13 <ruby>條<rt>tiáo</rt></ruby>（条） stripe　<ruby>條子<rt>tiáo zi</rt></ruby> stripe

14 <ruby>褲<rt>kù</rt></ruby>（裤） trousers　<ruby>褲子<rt>kù zi</rt></ruby> trousers

<ruby>長褲<rt>cháng kù</rt></ruby> trousers　<ruby>短褲<rt>duǎn kù</rt></ruby> shorts

15 <ruby>連<rt>lián</rt></ruby>（连） link

16 <ruby>衣<rt>yī</rt></ruby> clothes　<ruby>毛衣<rt>máo yī</rt></ruby> woollen sweater

<ruby>連衣裙<rt>lián yī qún</rt></ruby> dress

17 <ruby>呢子<rt>ní zi</rt></ruby> woollen cloth

18 <ruby>外<rt>wài</rt></ruby> outside; foreign

19 <ruby>套<rt>tào</rt></ruby> cover; measure word

<ruby>外套<rt>wài tào</rt></ruby> outer garment

1 Match each phrase with the picture.

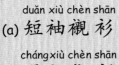

duǎn xiù chèn shān
(a) 短袖襯衫

cháng xiù chèn shān
(b) 長袖襯衫

wài tào
(c) 外套

gé zi chèn shān
(d) 格子襯衫

tiáo zi chèn shān
(e) 條子襯衫

lián yī qún
(f) 連衣裙

ní zi wài tào
(g) 呢子外套

cháng kù
(h) 長褲

wà zi
(i) 襪子

duǎn qún
(j) 短裙

pí xié
(k) 皮鞋

duǎn kù
(l) 短褲

2 Circle the correct pinyin.

(1) 短袖	(a) duǎngxùi	(b) duǎnxiù
(2) 襯衫	(a) chènshān	(b) chènsān
(3) 外套	(a) wàitào	(b) wèitào
(4) 皮鞋	(a) píxéi	(b) píxié
(5) 襪子	(a) wàizi	(b) wàzi
(6) 校服	(a) xiàofú	(b) xàofú
(7) 連衣裙	(a) liángyīqún	(b) liányīqún
(8) 衣服	(a) yīfu	(b) yífù

3 CD1 T6 Listen to the recording. Fill in the blanks with the words in the box.

_{zhè shì zhāng xiān sheng yì jiā   tā jiā}
這是張先生一家。他家
_{yí gòng yǒu wǔ kǒu rén   zhāng xiān sheng   zhāng}
一共有五口人：張先生、張
_{tài tai   yí ge nǚ ér hé liǎng ge ér zi}
太太、一個女兒和兩個兒子。

_{zhāng xiān sheng xǐ huan chuān}
(1) 張先生喜歡穿 _____。

_{zhāng tài tai xǐ huan chuān}
(2) 張太太喜歡穿 _____。

_{tā men de dà ér zi xǐ huan chuān}
(3) 他們的大兒子喜歡穿 _____。

_{xiǎo ér zi xǐ huan chuān}
(4) 小兒子喜歡穿 _____。

_{tā men de nǚ ér xǐ huan chuān}
(5) 他們的女兒喜歡穿 _____。

(a) 條子襯衫　　(f) 長袖襯衫

(b) 格子襯衫　　(g) 連衣裙

(c) 條子裙子　　(h) 呢子外套

(d) 格子裙子　　(i) 短褲

(e) 短袖襯衫　　(j) 長褲

4 Describe the following clothes in Chinese.

1
藍色的上衣

2

3

4

5

6

7

11

5

(a) 校服　　(b) 八點十分　　(c) 經理　　　　(d) 護士

(e) 日本　　(f) 中國　　　(g) 工作　　　　(h) 十二歲

(i) 五口人　(j) 八年級　　(k) 襯衫和長褲　(l) 連衣裙

mǎ lì jīn nián　　　　　　　　　　tā shàng　　　　　　tā shì　　　　rén dàn
馬力今年 ＿＿＿。他上 ＿＿＿。他是 ＿＿＿人，但

shì tā zài　　　chū shēng　　tā jiā yí gòng yǒu　　　　tā bà ba　mā ma
是他在＿＿＿出生。他家一共有 ＿＿＿。他爸爸、媽媽

dōu　　　　　tā bà ba shì　　　tā měi tiān　　　shàng bān　tā xǐ
都 ＿＿＿。他爸爸是 ＿＿＿，他每天＿＿＿上班。他喜

huan chuān　　　tā mā ma shì　　　tā xǐ huan chuān　　　mǎ
歡穿＿＿＿。他媽媽是 ＿＿＿，她喜歡穿 ＿＿＿。馬

lì chuān　　　shàng xué　tā bù xǐ huan chuān xiào fú
力穿＿＿＿上學。他不喜歡穿校服。

6

Make new dialogues.

Example

tā chuān shén me yī fu
A: 她穿什麼衣服？

tā chuān bái chèn shān　lán wài tào
B: 她穿白襯衫、藍外套、

gé zi qún zi hé hēi pí xié
格子裙子和黑皮鞋。

7　Answer the following questions.

xiàn zài jǐ diǎn le
(1) 現在幾點了？

nǐ měi tiān jǐ diǎn shàng xué
(2) 你每天幾點上學？

nǐ měi tiān zěn me shàng xué
(3) 你每天怎麼上學？

nǐ jǐ diǎn fàng xué huí jiā
(4) 你幾點放學回家？

nǐ xǐ huan kàn shū ma
(5) 你喜歡看書嗎？

nǐ xǐ huan chī zhōng guó cài ma
(6) 你喜歡吃中國菜嗎？

nǐ huà guo zhōng guó huà ma
(7) 你畫過中國畫嗎？

nǐ zuì xǐ huan shén me yán sè
(8) 你最喜歡什麼顏色？

nǐ jīn tiān chuān méi chuān xiào fú
(9) 你今天穿沒穿校服？

nǐ xià tiān chuān shén me xiào fú
(10) 你夏天穿什麼校服？

nǐ dōng tiān chuān shén me xiào fú
(11) 你冬天穿什麼校服？

nǐ xià tiān xǐ huan chuān cháng kù hái shi duǎn kù
(12) 你夏天喜歡穿長褲還是短褲？

nǐ xǐ huan chuān pí xié ma
(13) 你喜歡穿皮鞋嗎？

謎語 Riddle

yǒu niǎo bú huì jiào
有鳥不會叫，

yǒu rén bù kāi kǒu
有人不開口，

yǒu huā sì jì kāi
有花四季開，

yǒu yún bù fēi zǒu
有雲不飛走。

（打一物）

8　Read the text below. Then introduce your mother or father to your partner.

zhè shì wǒ mā ma   tā shì yīng guó rén   jīn
這是我媽媽。她是英國人，今

nián sān shí wǔ suì   tā shì yīng yǔ lǎo shī   cóng xīng
年三十五歲。她是英語老師。從星

qī yī dào xīng qī wǔ   tā zǎo shang qī diǎn bàn shàng
期一到星期五，她早上七點半上

bān   xià wǔ sì diǎn yí kè xià bān   tā xīng qī liù
班，下午四點一刻下班。她星期六

shàng wǔ yě shàng bān   tā hěn xǐ huan tā de gōng zuò
上午也上班。她很喜歡她的工作。

wǒ mā ma zuì xǐ huan hóng sè hé hēi sé   tā
我媽媽最喜歡紅色和黑色。她

xǐ huan chuān qún zi   bú tài xǐ huan chuān kù zi
喜歡穿裙子，不太喜歡穿褲子。

閱 讀（二） 中國畫 CD1 T8

zhōng guó huà zhǔ yào yǒu sān
中 國 畫 主 要 有 三

zhǒng　　rén wù huà　　shān shuǐ huà hé
種： 人 物 畫、 山 水 畫 和

huā niǎo huà
花 鳥 畫。

New Words

1　yào
　要 essential; want; must; will

　zhǔ yào
　主要 main

2　wù
　物 thing; matter

　rén wù
　人物 figure

　rén wù huà
　人物畫 figure painting

3　shān shuǐ huà
　山水畫 landscape painting

4　huā
　花 flower

5　niǎo
　鳥（鸟） bird

6　huā niǎo huà
　花鳥畫 flower-and-bird painting

14

第三課　他穿西裝上班

1

zhè shì wáng xiān sheng　tā shì
這是王先生。他是

lǜ shī　　tā měi tiān chuān xī zhuāng
律師。他每天穿西裝，

dài lǐng dài shàng bān
戴領帶上班。

2

zhāng xiǎo jie shì yì jiā dé guó
張小姐是一家德國

gōng sī de jīng lǐ　　tā měi tiān chuān
公司的經理。她每天穿

tào zhuāng shàng bān　dàn shì tā zhōu mò
套裝上班，但是她周末

xǐ huan chuān niú zǎi kù hé yùn dòng xié
喜歡穿牛仔褲和運動鞋。

3

hú tài tai xiàn zài
胡太太現在

zhù zài jiā ná dà　　dōng
住在加拿大。冬

tiān　　tā yào chuān ní zi
天，她要穿呢子

dà yī　　hái yào dài mào
大衣，還要戴帽

zi　　wéi jīn hé shǒu tào
子、圍巾和手套。

4

xiǎo lǐ xǐ huan yùn dòng
小李喜歡運動。

tā xǐ huan chuān hàn shān　　duǎn
他喜歡穿汗衫、短

kù hé yùn dòng xié
褲和運動鞋。

5

gǔ yī shēng jīn nián dōng
古醫生今年冬

tiān yào qù běi jīng　　tā yīng
天要去北京。她應

gāi dài yí jiàn dà yī　　jǐ
該帶一件大衣、幾

jiàn máo yī　　hái yào dài wéi
件毛衣，還要帶圍

jīn　　mào zi hé shǒu tào
巾、帽子和手套。

(1) wáng xiān sheng měi tiān chuān shén me yī fu shàng bān
王 先 生 每 天 穿 什麼 衣服 上 班？

(2) zhāng xiǎo jie shàng bān chuān shén me yī fu
張 小姐 上 班 穿 什麼 衣服？

(3) zhāng xiǎo jie zhōu mò xǐ huan chuān shén me yī fu
張 小姐 周末 喜歡 穿 什麼 衣服？

(4) hú tài tai dōng tiān yào bú yào chuān dà yī
胡 太太 冬天 要 不要 穿 大衣？

(5) xiǎo lǐ xǐ huan chuān shén me yī fu
小李 喜歡 穿 什麼 衣服？

(6) gǔ yī shēng dōng tiān qù běi jīng yīng gāi dài
古 醫生 冬天 去 北京 應該 帶
shén me yī fu
什麼 衣服？

New Words

1 zhuāng 裝（装）outfit; clothing xī zhuāng 西裝 suit
tào zhuāng 套裝 woman's suit

2 dài 戴 wear (accessories)

3 lǐng 領（领）neck; collar

4 dài 帶（带）belt; take; bring
lǐng dài 領帶 neck tie

5 xiǎo jie 小姐 miss (respectful term of address for a young woman)

6 zhōu 周 week; whole

7 mò 末 tip; end zhōu mò 周末 weekend

8 niú 牛 ox

9 zǎi 仔 son; young animal
niú zǎi kù 牛仔褲 jeans

10 yùn 運（运）motion

11 dòng 動（动）move yùn dòng 運動 sports
yùn dòng xié 運動鞋 sports shoes

12 dà yī 大衣 overcoat

13 mào 帽 hat mào zi 帽子 hat

14 wéi 圍（围）enclosure

15 jīn 巾 a piece of cloth wéi jīn 圍巾 scarf

16 shǒu tào 手套 gloves

17 hàn 汗 sweat hàn shān 汗衫 T-shirt

18 yīng 應（应）should

19 gāi 該（该）should yīng gāi 應該 should

20 jiàn 件 measure word

21 yī fu 衣服 clothes

1 Match the pictures with the words.

lián yī qún
(a) 連衣裙

duǎn kù
(b) 短褲

wà zi
(c) 襪子

cháng kù
(d) 長褲

cháng qún
(e) 長裙

wài tào
(f) 外套

nán chèn shān
(g) 男襯衫

niú zǎi kù
(h) 牛仔褲

máo yī
(i) 毛衣

2 Match the pictures with the words.

xī zhuāng
(a) 西裝

shǒu tào
(g) 手套

tào zhuāng
(b) 套裝

lǐng dài
(h) 領帶

niú zǎi kù
(c) 牛仔褲

hàn shān
(i) 汗衫

wéi jīn
(d) 圍巾

yùn dòng fú
(j) 運動服

pí dài
(e) 皮帶

yùn dòng xié
(k) 運動鞋

mào zi
(f) 帽子

藍條子長袖襯衫

tā míng tiān yào qù dōng jīng
(1) 他明天要去東京。

wǒ wǔ diǎn yào huí jiā
(2) 我五點要回家。

tā měi tiān yào zuò xiào chē shàng xué
(3) 她每天要坐校車上學。

dà jiā yào yòng xīn xiě hàn zì
(4) 大家要用心寫漢字。

wǒ de bǐ yǒu xià tiān yào lái xiāng gǎng
(5) 我的筆友夏天要來香港。

tā yào qù měi guó shàng dà xué
(6) 他要去美國上大學。

NOTE

yào
"要" want; wish; must; will

(a) 她今年冬天要去北京。
She wants to go to Beijing this winter.

(b) 冬天去北京，你要帶大衣。
If you go to Beijing in winter, you must bring your overcoat.

5 CD1 T10 Listen to the recording. Fill in the blanks with the colour words in pinyin.

(1) ___hēisè___ 的西裝 *de xī zhuāng*

(6) _____ 的帽子 *de mào zi*

(2) _____ 的呢子外套 *de ní zi wài tào*

(7) _____ 的手套 *de shǒu tào*

(3) _____ 格子連衣裙 *gé zi lián yī qún*

(8) _____ 的運動鞋 *de yùn dòng xié*

(4) _____ 的襪子 *de wà zi*

(9) _____ 的領帶 *de lǐng dài*

(5) _____ 的圍巾 *de wéi jīn*

(10) _____ 的套裝 *de tào zhuāng*

6 Describe what they are wearing.

Example

她穿綠色的套裝。 *tā chuān lù sè de tào zhuāng*

NOTE

"穿" *chuān* is used for clothes.

"戴" *dài* is used for accessories.

(a) 爸爸穿西裝上班。

Dad wears a suit to work.

(b) 你今天應該戴帽子。

You should wear a hat today.

Example

wáng xiān sheng xià ge xīng qī qù
王先生下個星期去

dōng jīng　　dōng jīng xiàn zài shì qiū tiān
東京。東京現在是秋天。

tā yīng gāi dài shén me yī fu qù
他應該帶什麼衣服去?

tā yīng gāi dài cháng xiù chèn
他應該帶 長袖襯

shān　　cháng kù　　wài tào　　máo yī
衫、長褲、外套、毛衣、

wà zi　　yùn dòng xié děng
襪子、運動鞋等。

NOTE

dài
"帶" as a verb means "to bring".

A: 我夏天去香港應該帶什麼
衣服?

What clothes should I bring if I go to Hong Kong in summer?

B: 你應該帶短褲、汗衫。

You should bring shorts and T-shirts.

1

wáng tài tai míng nián yī yuè qù běi jīng　　tā
王太太明年一月去北京。她

yīng gāi dài shén me yī fu qù
應該帶什麼衣服去?

tā yīng gāi dài
她應該帶 _____。

2

lǐ xiǎo jie xià tiān qù shàng hǎi　　tā
李小姐夏天去上海。她

yīng gāi dài shén me yī fu qù
應該帶什麼衣服去?

tā yīng gāi dài
她應該帶 _____。

3

zhāng xiān sheng míng tiān qù měi guó kāi huì　　měi guó xiàn
張先生明天去美國開會。美國現

zài shì chūn tiān　　tā yīng gāi dài shén me yī fu qù
在是春天。他應該帶什麼衣服去?

tā yīng gāi dài
他應該帶 _____。

8 Make a similar dialogue with your partner.

xiǎo míng　　nǐ xǐ huan shén me yán sè
小明: 你喜歡什麼顏色?

xiǎo fāng　　wǒ xǐ huan hóng sè
小方: 我喜歡紅色。

xiǎo míng　　wǒ zuì bù xǐ huan hóng sè
小明: 我最不喜歡紅色,
wǒ xǐ huan bái sè hé hēi sè
我喜歡白色和黑色。

xiǎo fāng　　nǐ xǐ huan chuān shén me yī fu
小方: 你喜歡穿什麼衣服?

xiǎo míng　　wǒ xǐ huan chuān hàn shān hé niú zǎi kù
小明: 我喜歡穿汗衫和牛仔褲。

xiǎo fāng　　wǒ bù xǐ huan chuān hàn shān hé niú zǎi kù
小方: 我不喜歡穿汗衫和牛仔褲。
wǒ xǐ huan chuān chèn shān hé qún zi
我喜歡穿襯衫和裙子。

9 Answer the following questions.

nǐ bà ba shàng bān chuān xī zhuāng ma
(1) 你爸爸上班穿西裝嗎?

nǐ mā ma shàng bān chuān shén me yī fu
(2) 你媽媽上班穿什麼衣服?

dōng tiān nǐ wài chū chuān dà yī ma
(3) 冬天你外出穿大衣嗎?

xià tiān nǐ chuān hàn shān hé duǎn kù ma
(4) 夏天你穿汗衫和短褲嗎?

nǐ xǐ huan chuān niú zǎi kù ma
(5) 你喜歡穿牛仔褲嗎?

nǐ xǐ huan chuān xiào fú ma
(6) 你喜歡穿校服嗎?

nǐ xǐ huan chuān yùn dòng xié ma
(7) 你喜歡穿運動鞋嗎?

nǐ jīn tiān chuān shén me yī fu
(8) 你今天穿什麼衣服?

閱 讀（三）齊白石

齊白石是中國有
名的畫家。他在1864年
出生，在1957年去
世。他畫的蝦最有名，
像真的一樣。

New Words

1 石 shí stone

齊白石 qí bái shí famous Chinese painter (1864-1957)

2 有名 yǒu míng famous

3 畫家 huà jiā painter

4 去世 qù shì die

5 蝦（虾）xiā shrimp

6 像 xiàng be like; resemble

7 真 zhēn true; real; genuine

8 樣（样）yàng shape; form; pattern

一樣 yí yàng the same

像真的一樣 xiàng zhēn de yí yàng true to life; vivid

第二單元　天氣、假期

第四課　今天是晴天

CD1 T12

1

臺北：今天是晴天，氣溫在十到十五度。明天晴轉多雲，下午可能會有毛毛雨。

2

澳門：今天是陰天，有雨，氣溫在二十五到三十二度。明天可能有颱風。

3

東京：今天多雲，颳西北風，氣溫在十五度左右。明天有雨。

4

北京：今天有大風雪，氣溫在零下十到十五度。下周可能會轉晴。

tái běi jīn tiān tiān qì zěn me yàng
(1) 臺北今天天氣怎麼樣？

tái běi jīn tiān qì wēn duō shao dù
(2) 臺北今天氣溫多少度？

ào mén jīn tiān yǒu yǔ ma
(3) 澳門今天有雨嗎？

ào mén míng tiān tiān qì zěn me yàng
(4) 澳門明天天氣怎麼樣？

dōng jīng jīn tiān tiān qì zěn me yàng
(5) 東京今天天氣怎麼樣？

dōng jīng míng tiān tiān qì zěn me yàng
(6) 東京明天天氣怎麼樣？

běi jīng jīn tiān tiān qì zěn me yàng
(7) 北京今天天氣怎麼樣？

běi jīng jīn tiān qì wēn duō shao dù
(8) 北京今天氣溫多少度？

New Words

1 qíng
晴 fine; clear
qíng tiān
晴天 sunny day

2 tái
臺〔颱〕（台）platform; table; typhoon
tái běi
臺北 Taipei

3 wēn
溫 warm; temperature
qì wēn
氣溫 air temperature

4 dù
度 degree; spend

5 zhuǎn
轉（转）turn; shift; change

6 duō yún
多雲 cloudy
qíng zhuǎn duō yún
晴轉多雲 change from sunny to cloudy

7 néng
能 able; capable; can
kě néng huì
可能（會）possible; possibly

8 yǔ xià yǔ
雨 rain 下雨 rainy
máo mao yǔ
毛毛雨 drizzle

9 ào mén
澳門 Macau

10 yīn yīn tiān
陰（阴）overcast 陰天 cloudy day

11 fēng tái fēng
風（风）wind 颱風 typhoon

12 dōng jīng
東京 Tokyo

13 guā guā fēng
颳（刮）blow 颳風 windy
guā xī běi fēng
颳西北風 northwesterly wind

14 zuǒ yòu
左右 around

15 xuě
雪 snow
dà fēng xuě
大風雪 snowstorm

16 líng xià
零下 below zero

17 tiān qì
天氣 weather

18 zěn me yàng
怎麼樣 how; what

19 duō shao
多少 how many; how much

1 Finish the diagram.

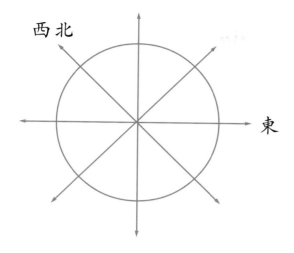

西北

東

2 Circle the correct pinyin.

(1) 晴天	(a) qíntiān (b) qíngtiān
(2) 颱風	(a) guāfēn (b) guāfēng
(3) 下雨	(a) xàiyǔ (b) xiàyǔ
(4) 下雪	(a) xiàxuě (b) xiàxěu
(5) 多雲	(a) dōuyún (b) duōyún
(6) 陰天	(a) yīntiān (b) yīngtiān
(7) 氣溫	(a) qìwēn (b) qìwēng
(8) 零下	(a) língxià (b) línxià

3 Match the pictures with the weather conditions.

a

e

guā fēng
(1) 颱風

xià dà yǔ
(2) 下大雨

b

f

xià máo mao yǔ
(3) 下毛毛雨

yīn tiān
(4) 陰天

c

g

guā tái fēng
(5) 颱颱風

xià xuě
(6) 下雪

d

h

qíng tiān
(7) 晴天

duō yún
(8) 多雲

(1) A: <ruby>北<rt>běi</rt></ruby><ruby>京<rt>jīng</rt></ruby><ruby>今<rt>jīn</rt></ruby><ruby>天<rt>tiān</rt></ruby><ruby>天<rt>tiān</rt></ruby><ruby>氣<rt>qì</rt></ruby><ruby>怎<rt>zěn</rt></ruby><ruby>麼<rt>me</rt></ruby><ruby>樣<rt>yàng</rt></ruby>？

B: 北京今天多雲 。

(2) A: <ruby>西<rt>xī</rt></ruby><ruby>安<rt>ān</rt></ruby><ruby>今<rt>jīn</rt></ruby><ruby>天<rt>tiān</rt></ruby><ruby>天<rt>tiān</rt></ruby><ruby>氣<rt>qì</rt></ruby><ruby>怎<rt>zěn</rt></ruby><ruby>麼<rt>me</rt></ruby><ruby>樣<rt>yàng</rt></ruby>？

B: _____ 。

(3) A: <ruby>上<rt>shàng</rt></ruby><ruby>海<rt>hǎi</rt></ruby><ruby>今<rt>jīn</rt></ruby><ruby>天<rt>tiān</rt></ruby><ruby>天<rt>tiān</rt></ruby><ruby>氣<rt>qì</rt></ruby><ruby>怎<rt>zěn</rt></ruby><ruby>麼<rt>me</rt></ruby><ruby>樣<rt>yàng</rt></ruby>？

B: _____ 。

(4) A: <ruby>香<rt>xiāng</rt></ruby><ruby>港<rt>gǎng</rt></ruby><ruby>今<rt>jīn</rt></ruby><ruby>天<rt>tiān</rt></ruby><ruby>氣<rt>qì</rt></ruby><ruby>溫<rt>wēn</rt></ruby><ruby>多<rt>duō</rt></ruby><ruby>少<rt>shao</rt></ruby><ruby>度<rt>dù</rt></ruby>？

B: _____ 。

(5) A: <ruby>東<rt>dōng</rt></ruby><ruby>京<rt>jīng</rt></ruby><ruby>今<rt>jīn</rt></ruby><ruby>天<rt>tiān</rt></ruby><ruby>氣<rt>qì</rt></ruby><ruby>溫<rt>wēn</rt></ruby><ruby>多<rt>duō</rt></ruby><ruby>少<rt>shao</rt></ruby><ruby>度<rt>dù</rt></ruby>？

B: _____ 。

(6) A: <ruby>臺<rt>tái</rt></ruby><ruby>北<rt>běi</rt></ruby><ruby>今<rt>jīn</rt></ruby><ruby>天<rt>tiān</rt></ruby><ruby>天<rt>tiān</rt></ruby><ruby>氣<rt>qì</rt></ruby><ruby>怎<rt>zěn</rt></ruby><ruby>麼<rt>me</rt></ruby><ruby>樣<rt>yàng</rt></ruby>？

B: _____ 。

NOTE

1. "<ruby>怎<rt>zěn</rt></ruby><ruby>麼<rt>me</rt></ruby><ruby>樣<rt>yàng</rt></ruby>" how; what

   A: 今天天氣怎麼樣？

   What is the weather like today?

   B: 多雲 。 Cloudy.

2. "<ruby>多<rt>duō</rt></ruby><ruby>少<rt>shao</rt></ruby>" how much; how many

(a) A: 今天多少度？

   What is the temperature today?

   B: 三十二度 。 Thirty-two degrees.

(b) A: 你們學校有多少老師？

   How many teachers are there in your school?

   B: 八十個 。 Eighty.

---

5 Ask questions by using the question words given.

(1) A: 今天天氣怎麼樣？ | <ruby>怎<rt>zěn</rt></ruby><ruby>麼<rt>me</rt></ruby><ruby>樣<rt>yàng</rt></ruby>

   B: <ruby>今<rt>jīn</rt></ruby><ruby>天<rt>tiān</rt></ruby><ruby>多<rt>duō</rt></ruby><ruby>雲<rt>yún</rt></ruby> 。

(2) A: _____ ？ | <ruby>怎<rt>zěn</rt></ruby><ruby>麼<rt>me</rt></ruby><ruby>樣<rt>yàng</rt></ruby>

   B: <ruby>東<rt>dōng</rt></ruby><ruby>京<rt>jīng</rt></ruby><ruby>今<rt>jīn</rt></ruby><ruby>天<rt>tiān</rt></ruby><ruby>天<rt>tiān</rt></ruby><ruby>晴<rt>qíng</rt></ruby> 。

(3) A: _____ ？ | <ruby>多<rt>duō</rt></ruby><ruby>少<rt>shao</rt></ruby>

   B: <ruby>今<rt>jīn</rt></ruby><ruby>天<rt>tiān</rt></ruby><ruby>二<rt>èr</rt></ruby><ruby>十<rt>shí</rt></ruby><ruby>八<rt>bā</rt></ruby><ruby>度<rt>dù</rt></ruby> 。

(4) A: _____ ？ | <ruby>多<rt>duō</rt></ruby><ruby>少<rt>shao</rt></ruby>

   B: <ruby>我<rt>wǒ</rt></ruby><ruby>們<rt>men</rt></ruby><ruby>班<rt>bān</rt></ruby><ruby>有<rt>yǒu</rt></ruby><ruby>三<rt>sān</rt></ruby><ruby>十<rt>shí</rt></ruby><ruby>個<rt>ge</rt></ruby><ruby>學<rt>xué</rt></ruby><ruby>生<rt>sheng</rt></ruby> 。

6 CD1 T13 Listen to the recording. Fill in the blanks with the weather conditions in the box.

(1) 北京今天＿＿＿＿＿
　　明天＿＿＿＿＿

(2) 上海今天＿＿＿＿＿
　　明天＿＿＿＿＿

(3) 東京今天＿＿＿＿＿
　　明天＿＿＿＿＿

(4) 香港今天＿＿＿＿＿
　　明天＿＿＿＿＿

(a) 晴天　　(b) 下雪　　(c) 下大雨　　(d) 颱風

(e) 多雲　　(f) 陰天　　(g) 颱颱風　　(h) 下毛毛雨

7 Make similar weather reports for the following cities.

Example

北京今天有大風
雪，氣溫在零下十五到
零下九度。

北京
-15℃ ～ -9℃

1 西安

5℃ ～ 10℃

2 香港

30℃ ～ 35℃

3 東京
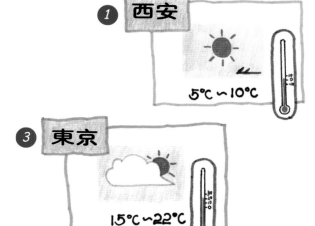
15℃ ～ 22℃

4 上海
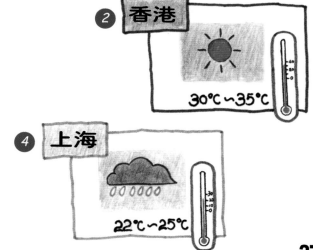
22℃ ～ 25℃

8 Translation.

jīn tiān kě néng huì yǒu tái fēng
(1) 今天可能會有颱風。

míng tiān kě néng huì xià xuě
(2) 明天可能會下雪。

wáng xiān sheng kě néng bú huì lái
(3) 王先生可能不會來。

tā kě néng qù běi jīng shàng dà xué
(4) 他可能去北京上大學。

lǐ lǎo shī kě néng zǒu le
(5) 李老師可能走了。

xiǎo yún kě néng shì quán xiào zuì gāo de
(6) 小雲可能是全校最高的。

zhāng tài tai xiàn zài kě néng zhù zài shàng hǎi
(7) 張太太現在可能住在上海。

tā bà ba kě néng shì yì jiā yín háng de
(8) 她爸爸可能是一家銀行的
jīng lǐ
經理。

NOTE

1. "huì會" be likely to

(a) 她會來。 She will come.

(b) 今天不會下雨。
It is not going to rain today.

2. "kě néng可能" possibly

她可能回家了。

She has probably gone home.

3. "kě néng huì可能會" possibly

今天可能會下雨。

It might rain today.

9 CD1 T14 Listen to the recording. Fill in the blanks with the weather conditions in the box.

shàng hǎi jīn tiān   qì wēn zài   míng tiān
(1) 上海今天＿＿＿＿，氣溫在＿＿＿＿。明天＿＿＿＿。

nán jīng jīn tiān   qì wēn zài   míng tiān
(2) 南京今天＿＿＿＿，氣溫在＿＿＿＿。明天＿＿＿＿。

běi jīng jīn tiān   qì wēn zài   míng tiān kě néng
(3) 北京今天＿＿＿＿，氣溫在＿＿＿＿。明天可能＿＿＿＿。

dà lián jīn tiān   qì wēn zài   míng tiān
(4) 大連今天＿＿＿＿，氣溫在＿＿＿＿。明天＿＿＿＿。

xī ān jīn tiān   qì wēn zài   guā
(5) 西安今天＿＿＿＿，氣溫在＿＿＿＿，颳＿＿＿＿。

(a) 有雨　(b) 多雲　(c) 晴天　(d) 轉晴　(e) 西北風　(f) 晴轉多雲

(g) 多雲轉陰　(h) 七到十度　(i) 五到八度　(j) 十六到二十一度

(k) 十五到二十度　(l) 九到十一度

閱讀（四）北京 CD1 T15

běi jīng shì zhōng guó de shǒu dū yǒu sān qiān
北京是中國的首都，有三千
duō nián de lì shǐ běi jīng yǒu hěn duō míng shèng bǐ
多年的歷史。北京有很多名勝，比
rú tiān ān mén gù gōng cháng chéng děng děng
如天安門、故宮、長城等等。

New Words

1. shǒu
首 head; leader
   shǒu dū
首都 capital (of a country)

2. qiān   sān qiān
千 thousand 三千 three thousand

3. shèng
勝（胜）victory; wonderful
   míng shèng
名勝 famous tourist attraction

4. rú
如 for instance
   bǐ rú
比如 for instance

5. tiān ān mén
天安門 Tian An Men

6. gù
故 former; incident

7. gōng
宮 palace
   gù gōng
故宮 the Forbidden City

8. chéng
城 city; wall
   cháng chéng
長城 the Great Wall

CD1 T16

shàng hǎi de chūn tiān hěn nuǎn huo qì wēn zài shí
上海的春天很暖和，氣溫在十
wǔ dù zuǒ yòu yǒu shí hou yě huì xià máo mao yǔ
五度左右，有時候也會下毛毛雨。

1

xiāng gǎng de xià tiān hěn rè cháng cháng yòu guā
香港的夏天很熱，常常又颱
fēng yòu xià yǔ yǒu shí hou hái dǎ léi
風又下雨，有時候還打雷。

2

běi jīng de qiū tiān tiān qì zuì hǎo hěn liáng kuai
北京的秋天天氣最好，很涼快，
cháng cháng shì qíng tiān
常常是晴天。

3

xī ān de dōng tiān hěn lěng bù cháng xià xuě dàn
西安的冬天很冷，不常下雪，但
shì qì wēn jīng cháng zài líng dù yǐ xià chū mén de shí
是氣溫經常在零度以下。出門的時
hou yào chuān dà yī
候要穿大衣。

4

True or false?

shàng hǎi de chūn tiān bù lěng
( )(1) 上海的春天不冷。

shàng hǎi chūn tiān de qì wēn zài dù shàng xià
( )(2) 上海春天的氣溫在15度上下。

xiāng gǎng de xià tiān duō yǔ
( )(3) 香港的夏天多雨。

běi jīng de qiū tiān bù lěng yě bú rè
( )(4) 北京的秋天不冷也不熱。

běi jīng de qiū tiān cháng cháng yīn tiān
( )(5) 北京的秋天常常陰天。

xī ān de dōng tiān hěn nuǎn huo
( )(6) 西安的冬天很暖和。

xī ān de dōng tiān jīng cháng xià xuě
( )(7) 西安的冬天經常下雪。

zài xī ān dōng tiān chū mén yào chuān
( )(8) 在西安，冬天出門要穿
dà yī
大衣。

New Words

① nuǎn 暖 warm　　nuǎn huo 暖和 nice and warm

② shí 時（时）time; hour

③ hòu 候 wait; time　　shí hou 時候 time; moment

　　yǒu shí hou 有時候 sometimes

　　de shí hou ……的時候 when ...

④ rè 熱（热）hot

⑤ cháng 常 often　　cháng cháng 常常＝ jīng cháng 經常 often

⑥ yòu 又 again

　　yòu 又……yòu 又…… both ... and ...

⑦ dǎ 打 strike

⑧ léi 雷 thunder　　dǎ léi 打雷 thunder

⑨ liáng 涼 cool

　　liáng kuai 涼快 nice and cool

⑩ lěng 冷 cold

1　Match the pictures with the descriptions.

jīn tiān hěn nuǎn huo
(1) 今天很暖和。

jīn tiān yòu guā fēng yòu xià xuě
(2) 今天又颱風又下雪。

jīn tiān hěn liáng kuai
(3) 今天很涼快。

jīn tiān hěn rè　　qì wēn zài sān shí wǔ dù yǐ shàng
(4) 今天很熱，氣溫在三十五度以上。

jīn tiān hěn lěng　　qì wēn zài líng xià èr shí dù zuǒ yòu
(5) 今天很冷，氣溫在零下二十度左右。

jīn tiān yòu dǎ léi yòu xià yǔ
(6) 今天又打雷又下雨。

2 Match the pictures with the words.

(1) 雷雨 *léi yǔ*

(2) 熱 *rè*

(3) 冷 *lěng*

(4) 下雪 *xià xuě*

(5) 颱風 *tái fēng*

(6) 下毛毛雨 *xià máo mao yǔ*

(7) 陰天 *yīn tiān*

(8) 晴天 *qíng tiān*

3 CD1 T17 Listen to the recording. Choose the right answer.

(1) 北京今天 _____ ，明天 _____ 。
běi jīng jīn tiān   *míng tiān*

   (a) 很暖和   (b) 會轉涼   (c) 又颱風又下雨

(2) 臺北這幾天 _____ ，下個星期 _____ 。
tái běi zhè jǐ tiān   *xià ge xīng qī*

   (a) 又打雷又下雨   (b) 很冷   (c) 可能會轉暖

(3) 上海今天 _____ ，晚上 _____ 。
shàng hǎi jīn tiān   *wǎn shang*

   (a) 多雲   (b) 多雲轉晴   (c) 可能有雨

(4) 東京今天 _____ ，這個周末 _____ 。
dōng jīng jīn tiān   *zhè ge zhōu mò*

   (a) 很涼快   (b) 很熱   (c) 可能會下大雨，颳大風

(5) 南京這個星期 _____ ，下個星期 _____ 。
nán jīng zhè ge xīng qī   *xià ge xīng qī*

   (a) 又颱風又下雪   (b) 很暖和   (c) 可能會轉涼

4 Translation.

(1) zhè tiáo kù zi yòu duǎn yòu xiǎo
這條褲子又短又小。

(2) jīn tiān yòu guā fēng yòu xià xuě
今天又颱風又下雪。

(3) tā men zài chē shang yòu shuō yòu xiào
他們在車上又説又笑。

(4) tā yòu xiǎng qù yòu bù xiǎng qù
他又想去，又不想去。

(5) zuó tiān yòu dǎ léi yòu xià yǔ
昨天又打雷又下雨。

NOTE

yòu   yòu
"又……又……" both ... and ...

今天又下雨又颱風。

It is both rainy and windy today.

謎語 Riddle

zuǒ shǒu shí ge
左 手 十 個 ，
yòu shǒu shí ge
右 手 十 個 ，
ná qu shí ge
拿 去 十 個 ，
hái yǒu shí ge
還 有 十 個 。

（打一物）

5 Make new dialogues.

Example

tiān bǎo   jīn tiān tiān qì zěn me yàng
天寶：今天天氣怎麼樣？

guó ān   jīn tiān tiān qíng
國安：今天天晴，
qì wēn zài èr
氣温在二
shí dù zuǒ yòu
十度左右，
hěn nuǎn huo
很暖和。

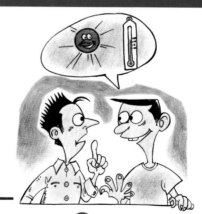

1

32℃～38℃

2

-20℃～-15℃

3

20℃～23℃

4

5℃～12℃

1

wǒ zhù zài běi jīng
我住在北京
de shí hou　　xué
的時候，學
guo yì diǎnr　　hàn yǔ
過一點兒漢語。

2

zuó tiān xià yǔ
昨天下雨
de shí hou wǒ
的時候我
zài jiā
在家。

3

zuò chē de shí hou tā cháng cháng kàn shū
坐車的時候他常常看書。

NOTE

de shí hou
"……的時候" when

我爸爸住院的時候，
我每天去看他。

When my father was in hospital,
I went to see him everyday.

4

wǒ bà ba zài nán jīng
我爸爸在南京
gōng zuò de shí hou
工作的時候，
wǒ shàng xiǎo xué
我上小學。

5

nǐ chū qu de shí hou
你出去的時候
yào chuān cháng dà yī
要穿長大衣。

6

chī fàn de shí hou bú
吃飯的時候不
yào shuō huà
要說話。

7 [CD1][T18] Listen to the recording. Fill in the blanks with the weather conditions in the box.

(a) 天晴	(b) 多雲	(c) 有雨	(d) 有雷雨
(e) 有雪	(f) 轉晴	(g) 陰天	(h) 晴轉多雲

dōng jīng　jīn tiān	shàng hǎi　jīn tiān	běi jīng　jīn tiān
(1) 東京：今天	(2) 上海：今天	(3) 北京：今天
míngtiān 明天	míngtiān 明天	míngtiān 明天
xiāng gǎng　jīn tiān	ào men　jīn tiān	tái běi　jīn tiān
(4) 香港：今天	(5) 澳門：今天	(6) 臺北：今天
míngtiān 明天	míngtiān 明天	míngtiān 明天

1
jīn tiān guā dà fēng　xià dà yǔ　　qì
今天颳大風，下大雨，氣

wēn zài shí dào shí wǔ dù　　nǐ chū mén yào chuān
温在十到十五度。你出門要穿

yǔ yī hé yǔ xié　　hái yīng gāi chuān fēng yī
雨衣和雨鞋，還應該穿風衣。

nǐ yào chuān yǔ yī
(　)(1) 你要穿雨衣。

nǐ yào chuān yǔ xié
(　)(2) 你要穿雨鞋。

nǐ yào chuān dà yī
(　)(3) 你要穿大衣。

NOTE

yào
"要" must; should; need; want

Its negative form is:

bú yòng
"不用" need not

A: 你要多吃點兒。

　　You must eat more.

B: 不用。No need.

3
jīn tiān hěn lěng　　yǒu dà fēng xuě
今天很冷，有大風雪，

qì wēn zài líng xià èr shí dào líng xià shí
氣温在零下二十到零下十

dù　　nǐ chū mén yào chuān ní zi dà yī
度。你出門要穿呢子大衣，

dài mào zi　　wéi jīn hé shǒu tào
戴帽子、圍巾和手套。

nǐ chū mén yào chuān dà yī
(　)(1) 你出門要穿大衣。

nǐ chū mén yīng gāi dài wéi jīn
(　)(2) 你出門應該戴圍巾。

nǐ bú yòng dài mào zi hé shǒu tào
(　)(3) 你不用戴帽子和手套。

2
jīn tiān tiān qíng　　qì wēn zài èr shí
今天天晴，氣温在二十

dào èr shí wǔ dù　　nǐ bú yòng chuān tài
到二十五度。你不用穿太

duō de yī fu
多的衣服。

nǐ yào chuān dà yī
(　)(1) 你要穿大衣。

nǐ bú yòng chuān máo yī
(　)(2) 你不用穿毛衣。

閱 讀（五）熊 貓 CD1 T19

xióng māo shì yì zhǒng gǔ lǎo de dòng wù　　yě shì zhōng guó
熊貓是一種古老的動物，也是中國

de guó bǎo　　tā men zuì ài chī zhú zi　　yì zhī xióng māo měi
的國寶。它們最愛吃竹子。一隻熊貓每

tiān yào chī èr shí duō
天要吃二十多

gōng jīn zhú zi
公斤竹子。

New Words

1. ^{xióng} 熊 bear

2. ^{māo} 貓（猫）cat　^{xióng māo} 熊貓 panda

3. ^{gǔ lǎo} 古老 ancient

4. ^{dòng wù} 動物 animal

5. ^{guó bǎo} 國寶 national treasure

6. ^{ài} 愛（爱）love; like; be fond of

7. ^{zhú zi} 竹子 bamboo

8. ^{zhī} 隻（只）measure word

9. ^{jīn} 斤 half a kilogram
   ^{gōng jīn} 公斤 kilogram

小花

第六課　暑假最長

CD1 T20

wǒ men xué xiào yì nián yǒu sān ge xué qī　sān ge jià qī　zài
我們學校一年有三個學期，三個假期。在

zhè sān ge jià qī li　shǔ jià zuì cháng　yǒu liǎng ge yuè
這三個假期裏，暑假最長，有兩個月。

shǔ jià li　wǒ hé jiā rén jīng cháng qù guó wài dù jià　wǒ men
暑假裏，我和家人經常去國外度假。我們

xǐ huan qù hǎi biān yóu yǒng　shài tài yáng　wǒ men jīn nián qī yuè èr hào kāi shǐ fàng jià　jīn
喜歡去海邊游泳、曬太陽。我們今年七月二號開始放假。今

nián shǔ jià wǒ men qù xīn jiā pō　wǒ men huì zài nàr　zhù liǎng ge xīng qī
年暑假我們去新加坡。我們會在那兒住兩個星期。

dì yī xué qī　jiǔ yuè yī rì dào
第一學期：九月一日到

shí èr yuè shí qī rì
十二月十七日

dì èr xué qī　yī yuè wǔ rì dào
第二學期：一月五日到

sì yuè wǔ rì
四月五日

dì sān xué qī　sì yuè shí sì rì dào qī yuè èr rì
第三學期：四月十四日到七月二日

Answer the questions.

xiǎo huā de xué xiào yì nián yǒu jǐ ge xué qī
(1) 小花的學校一年有幾個學期？

shǔ jià li　xiǎo huā yì jiā jīng cháng qù nǎr　dù jià
(2) 暑假裏，小花一家經常去哪兒度假？

dù jià de shí hou　xiǎo huā hé tā de jiā rén xǐ huan zuò shén me
(3) 度假的時候，小花和她的家人喜歡做什麼？

xiǎo huā jīn nián shén me shí hou kāi shǐ fàng shǔ jià
(4) 小花今年什麼時候開始放暑假？

jīn nián shǔ jià xiǎo huā yì jiā huì qù nǎr　dù jià
(5) 今年暑假小花一家會去哪兒度假？

tā men huì zài nàr　zhù jǐ ge xīng qī
(6) 他們會在那兒住幾個星期？

1 shǔ 暑 heat; hot weather

2 jià 假 holiday; vacation

shǔ jià 暑假 summer holiday

fàng jià 放假 have a holiday

fàng shǔ jià 放暑假 have a summer holiday

jià qī 假期 holiday

dù jià 度假 spend one's holidays

3 xué qī 學期 school term

4 guó wài 國外 abroad

5 biān 邊（边）side; edge　hǎi biān 海邊 seaside

6 yóu 游〔遊〕swim; travel

7 yǒng 泳 swim　yóu yǒng 游泳 swim

8 shài 曬（晒）shine upon

9 yáng 陽（阳）masculine or positive principle in nature

tài yáng 太陽 sun　shài tài yáng 曬太陽 sunbathe

10 shǐ 始 beginning　kāi shǐ 開始 start

11 xīn 新 new

12 pō 坡 slope　xīn jiā pō 新加坡 Singapore

13 nàr 那兒 there

14 liǎng ge xīng qī 兩個星期 two weeks

15 dì 第 for ordinal number

dì yī 第一 number one; first

16 shén me shí hou 什麼時候 when

---

1 🎧 Read aloud.

(1) shǔ jià 暑假

(2) fàng jià 放假

(3) jià qī 假期

(4) xué qī 學期

(5) xīng qī 星期

(6) yóu yǒng 游泳

(7) zhōu yóu shì jiè 周遊世界

(8) shài tài yáng 曬太陽

(9) dù jià 度假

(10) wēn dù 溫度

(11) nuǎn huo 暖和

(12) hǎi biān 海邊

(13) jīng lǐ 經理

(14) jīng cháng 經常

(15) qíng zhuǎn duō yún 晴轉多雲

38

2 Fill in the blanks with the words in the box.

běi biān	nán bian
(a) 北邊	(b) 南邊
xī bian	dōngbian
(c) 西邊	(d) 東邊
zuǒ bian	yòu bian
(e) 左邊	(f) 右邊
shàng bian	xià bian
(g) 上邊	(h) 下邊
lǐ bian	wài bian
(i) 裏邊	(j) 外邊

3 Match the pictures with the words in the box.

rè	xià máo mao yǔ
(a) 熱	(g) 下毛毛雨
lěng	yīn tiān
(b) 冷	(h) 陰天
dǎ léi	duō yún
(c) 打雷	(i) 多雲
dà fēng xuě	yóu yǒng
(d) 大風雪	(j) 游泳
qíng tiān	qí mǎ
(e) 晴天	(k) 騎馬
guā tái fēng	shài tài yáng
(f) 颱颱風	(l) 曬太陽

4 Answer the questions.

Example

nǐ shén me shí hou qù běi jīng
A: 你什麼時候去北京？ (tomorrow)

wǒ míng tiān qù běi jīng
B: 我明天去北京。

1
nǐ shén me shí hou lái wǒ jiā
你什麼時候來我家？

(7 pm)

2
nǐ shén me shí hou
你什麼時候

qù lǐ fa
去理髮？ (10 am)

3
nǐ shén me shí hou qù xīn jiā pō
你什麼時候去新加坡？

(June 5th)

4
nǐ shén me shí hou
你什麼時候

qù kàn yá yī
去看牙醫？ (2 pm)

NOTE

shén me shí hou
"什麼時候" when

Answers can be year, month, week, day and hours.

(a) A: 你什麼時候去上海？

When are you going to Shanghai?

B: 明天。 Tomorrow.

(b) A: 你什麼時候去學校？

When are you going to school?

B: 早上八點。

Eight o'clock in the morning.

5 Describe the pictures.

Example

jīn tiān hěn rè   qì wēn zài sān shí wǔ dù zuǒ yòu
今天很熱，氣溫在三十五度左右，
méi yǒu fēng   tā chuān lián yī qún   tā méi yǒu chuān xié
沒有風。她穿連衣裙。她沒有穿鞋。

6 Translation.

(1)
tā zài yīng guó zhù guo sān nián
他在英國住過三年。

(2)
wǔ yuè yī hào wǒ men fàng jià yì tiān
五月一號我們放假一天。

(3)
qù nián shǔ jià wǒ men zài měi guó zhù
去年暑假我們在美國住
le yí ge yuè
了一個月。

(4)
tā bà ba zài dé guó gōng zuò guo wǔ
她爸爸在德國工作過五
nián
年。

(5)
míng tiān shì zhōng qiū jié xué xiào fàng
明天是中秋節，學校放
jià yì tiān
假一天。

Duration of action:

(a) 他在北京工作過三年半。

He worked in Beijing for three and a half years.

(b) 去年我在上海住了一個月。

Last year I lived in Shanghai for a month.

(c) 我們會在英國住一個星期。

We will possibly stay in England for a week.

7 CD1 T21 Listen to the recording. Choose the right answer.

(1)
qù nián wǒ men cóng kāi shǐ fàng shǔ jià
去年我們從＿＿＿開始放暑假。

(a) 二月七日　(b) 七月二日　(c) 七月十二日

(2)
shǔ jià li wǒ men yì jiā rén qù le
暑假裏我們一家人去了＿＿＿。

(a) 澳大利亞　(b) 西安　(c) 馬來西亞

(3)
wǒ men zài nàr zhù le xīng qī
我們在那兒住了＿＿＿星期。

(a) 兩個　(b) 三個　(c) 一個

(4)
wǒ men zhù de jiǔ diàn shì xīng jí de
我們住的酒店是＿＿＿星級的。

(a) 三　(b) 四　(c) 五

(5)
wǒ men měi tiān dōu qù
我們每天都去＿＿＿。

(a) 游泳　(b) 游泳、坐船

(c) 游泳、騎馬

nǐ men xué xiào yì nián yǒu jǐ ge xué qī
(1) 你們學校一年有幾個學期？

dì yī ge xué qī yí gòng yǒu jǐ ge xīng qī
(2) 第一個學期一共有幾個星期？

jīn nián nǐ men shén me shí hou fàng shǔ jià
(3) 今年你們什麼時候放暑假？

shǔ jià yí gòng fàng jǐ ge xīng qī
(4) 暑假一共放幾個星期？

nǐ jīng cháng qù guó wài dù jià ma
(5) 你經常去國外度假嗎？

nǐ jīng cháng qù nǎr dù jià
(6) 你經常去哪兒度假？

nǐ xǐ huan bù xǐ huan yóu yǒng
(7) 你喜歡不喜歡游泳？

nǐ xǐ huan zài hǎi biān shài tài yáng ma
(8) 你喜歡在海邊曬太陽嗎？

9 Answer the questions according to the pictures below.

xiǎo yīng qù dù jià yào dài
(1) 小英去度假要帶

shén me yī fu
什麼衣服？

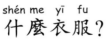

dà bǎo qù dù jià yào
(2) 大寶去度假要

dài shén me yī fu
帶什麼衣服？

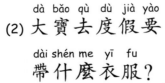

閱 讀（六）風 箏 CD1 T22

中國是風箏的故鄉。風箏在中國有 2000 多年的歷史。風箏的式樣很多，有鳥、魚、蟲和人物等。春天是放風箏最好的季節。

New Words

1. zhēng
   箏（筝）a stringed instrument; kite

   fēng zhēng
   風箏 kite

   fàng fēng zhēng
   放風箏 fly a kite

2. xiāng
   鄉（乡）countryside; home town

   gù xiāng
   故鄉 home town; birthplace

3. shì
   式 type; style

   shì yàng
   式樣 style; type

4. yú
   魚（鱼）fish

5. chóng
   蟲（虫）insect; worm

6. jì jié
   季節 season

第七課　我最喜歡過寒假

CD1 T23

1

wǒ jiào huáng léi　jīn nián shí wǔ suì　wǒ zuì xǐ huan guò hán
我叫黃雷，今年十五歲。我最喜歡過寒

jià　hán jià li　wǒ men yì jiā rén jīng cháng qù jiā ná dà dù jià
假。寒假裏，我們一家人經常去加拿大度假。

wǒ men quán jiā rén dōu xǐ huan huá xuě　wǒ bà ba huá de zuì hǎo
我們全家人都喜歡滑雪，我爸爸滑得最好。

2

wǒ jiào zhōu yún　jīn nián shí sì suì　wǒ shì zài tái wān chū shēng
我叫周雲，今年十四歲。我是在臺灣出生

de　dàn shì zài měi guó zhù guo liù nián　wǒ bā suì de shí hou　quán jiā
的，但是在美國住過六年。我八歲的時候，全家

yòu huí dào le tái wān　yīn wèi wǒ hé wǒ jiě jie dōu xǐ huan měi guó　suǒ
又回到了臺灣。因為我和我姐姐都喜歡美國，所

yǐ　fù mǔ qīn měi nián xià tiān dōu dài wǒ men qù nà lǐ dù jià
以，父母親每年夏天都帶我們去那裏度假。

3

wǒ jiào hú yuè wén　jīn nián shí suì　wǒ men jiā zài yīng guó zhù guo
我叫胡月文，今年十歲。我們家在英國住過

qī nián　yīng guó de dōng tiān yǒu shí hou xià xuě　měi cì xià xuě de shí hou
七年。英國的冬天有時候下雪，每次下雪的時候，

wǒ hé dì di dōu huì duī yí ge dà xuě rén　wǒ men hái wèi xuě rén dài shang
我和弟弟都會堆一個大雪人。我們還爲雪人戴上

mào zi　wéi jīn hé shǒu tào　xuě rén kàn shang qu xiàng zhēn rén yí yàng
帽子、圍巾和手套，雪人看上去像真人一樣。

4

wǒ jiào zhāng tóng　jīn nián jiǔ suì　wǒ yě xǐ huan guò hán jià
我叫張同，今年九歲。我也喜歡過寒假。

wǒ xiǎo shí hou zài hán guó zhù guo liù nián　nà lǐ de dōng tiān fēi cháng lěng
我小時候在韓國住過六年。那裏的冬天非常冷。

hán jià li　wǒ hé tóng xué men zuì xǐ huan qù huá bīng
寒假裏，我和同學們最喜歡去滑冰。

Answer the questions.

(1) 寒假裏，黃雷一家經常去哪兒？
hán jià li　huáng léi yì jiā jīng cháng qù nǎr

(2) 黃雷會滑雪嗎？
huáng léi huì huá xuě ma

(3) 周雲是在哪兒出生的？
zhōu yún shì zài nǎr chū shēng de

(4) 周雲每年夏天去哪兒度假？
zhōu yún měi nián xià tiān qù nǎr dù jià

(5) 胡月文在英國住過幾年？
hú yuè wén zài yīng guó zhù guo jǐ nián

(6) 英國冬天下雪嗎？
yīng guó dōng tiān xià xuě ma

(7) 張同小時候在哪兒住過六年？
zhāng tóng xiǎo shí hou zài nǎr zhù guo liù nián

(8) 張同會滑冰嗎？
zhāng tóng huì huá bīng ma

New Words

1. 過（过） spend (time) — guò

2. 寒 cold（hán）　寒假 winter holiday（hán jià）
   過寒假 spend winter holidays（guò hán jià）

3. 滑 slip（huá）　滑雪 skiing（huá xuě）

4. 得 particle, used to form a complement（de）

5. 是……的 used for emphasis（shì … de）

6. 灣（湾） gulf; bay（wān）　臺灣 Taiwan（tái wān）

7. 因 cause; because of（yīn）

8. 爲（为） for; because（wèi）　因爲 because（yīn wèi）

9. 所 place; measure word（suǒ）　所以 so（suǒ yǐ）
   因爲……所以…… because ...（yīn wèi … suǒ yǐ …）

10. 父 father（fù）

11. 母 mother（mǔ）　父母親 parents（fù mǔ qīn）

12. 次 measure word (for action)（cì）
    每次 every time（měi cì）

13. 堆 pile up（duī）
    堆雪人 make a snowman（duī xuě rén）

14. 戴上 put on（dài shang）

15. 看上去（像） look (like)（kàn shang qu xiàng）

16. 韓（韩） surname（hán）
    韓國 Republic of Korea（hán guó）

17. 非常 very; extremely（fēi cháng）

18. 冰 ice（bīng）　滑冰 skate（huá bīng）

1 Match the pictures with the words in the box.

huá bīng	huá shuǐ	huá xuě	duī xuě rén	yóu yǒng	shài tài yáng
(a) 滑冰	(b) 滑水	(c) 滑雪	(d) 堆雪人	(e) 游泳	(f) 曬太陽

2 Finish the following sentences.

tā huá xuě kuài
(1) 他滑雪滑得快。（快）

yé ye zǒu lù màn
(2) 爺爺走路_____。（慢）

zhāng míng kāi chē kuài
(3) 張明開車_____。（快）

wǒ dì di xiě zì hǎo kàn
(4) 我弟弟寫字_____。（好看）

NOTE

de
"得" is placed after verbs or adjectives to form a complement.

他游泳游得很快。
He swims fast.

3 Say one sentence for each picture.

Example

tā yóu yǒng yóu de hěn hǎo
他游泳游得很好。

游泳／
很好

騎馬／
快

做飯／
好吃

打字／
慢

4 Translation.

(1) A: nǐ shì zěn me lái de
你是怎麼來的？

B: wǒ shì zuò huǒ chē lái de
我是坐火車來的。

(2) A: nǐ shì cóng nǎ lǐ lái de
你是從哪裏來的？

B: wǒ shì cóng běi jīng lái de
我是從北京來的。

(3) A: nǐ shì zài nǎr chū shēng de
你是在哪兒出生的，
zài nǎr zhǎng dà de
在哪兒長大的？

B: wǒ shì zài shàng hǎi chū shēng de
我是在上海出生的，
zài běi jīng zhǎng dà de
在北京長大的。

NOTE

shì de
"是……的" emphasizes the past action, time, place, etc.

A: 你是什麼時候來的？
When did you come?

B: 我是早上八點來的。
I came at eight this morning.

5 Match the sentences in column A with the ones in column B.

A

(1) yīn wèi zuó tiān shì gōng gòng jià rì
因爲昨天是公共假日，

(2) yīn wèi wǒ fù mǔ xǐ huan zhōng guó
因爲我父母喜歡中國，

(3) yīn wèi tā huà huàr huà de hěn hǎo
因爲他畫畫兒畫得很好，

(4) yīn wèi wǒ zài xiāng gǎng chū shēng zhǎng dà
因爲我在香港出生、長大，

(5) yīn wèi jīn tiān guā bā hào tái fēng
因爲今天颳八號颱風，

(6) yīn wèi jīn tiān hěn lěng
因爲今天很冷，

(7) yīn wèi xià wǔ kě néng yǒu léi yǔ
因爲下午可能有雷雨，

B

(a) suǒ yǐ tā zhǎng dà yǐ hòu xiǎng zuò huà jiā
所以他長大以後想做畫家。

(b) suǒ yǐ wǒ méi yǒu kàn jian guo xuě
所以我沒有看見過雪。

(c) suǒ yǐ wǒ men méi yǒu qù shàng xué
所以我們沒有去上學。

(d) suǒ yǐ qù hǎi biān de rén hěn duō
所以去海邊的人很多。

(e) suǒ yǐ nǐ chū mén zuì hǎo dài yǔ yī
所以你出門最好帶雨衣。

(f) suǒ yǐ wǒ men fàng jià jīng cháng qù zhōng guó
所以我們放假經常去中國。

(g) suǒ yǐ nǐ yīng gāi duō chuān diǎnr yī fu
所以你應該多穿點兒衣服。

nǐ shì zài nǎr chū shēng de
(1) 你是在哪兒出生的？

　　(a) 新加坡 (b) 美國 (c) 英國

nǐ shì cóng nǎr lái xiāng gǎng de
(2) 你是從哪兒來香港的？

　　(a) 上海 (b) 北京 (c) 西安

nǐ shì zěn me lái xiāng gǎng de
(3) 你是怎麼來香港的？

　　(a) 坐火車 (b) 坐地鐵 (c) 坐飛機

nǐ shì jǐ diǎn dào xiāng gǎng de
(4) 你是幾點到香港的？

　　(a) 早上八點 (b) 下午兩點 (c) 晚上七點

nǐ shì zài nǎr xué de hàn yǔ
(5) 你是在哪兒學的漢語？

　　(a) 在北京 (b) 在英國 (c) 在學校

---

7 Translation.

wǒ bà ba qù guo tái wān yí cì
(1) 我爸爸去過臺灣一次。

nǐ qù guo fēi zhōu jǐ cì
(2) 你去過非洲幾次？

wáng xiān sheng lái guo wǒ jiā hǎo jǐ cì
(3) 王先生來過我家好幾次。

měi cì xià xuě wǒ hé dì di dōu duī xuě rén
(4) 每次下雪我和弟弟都堆雪人。

wǒ jiàn guo tā jiě jie liǎng cì
(5) 我見過她姐姐兩次。

tā nǎi nai zuò guo yí cì fēi jī
(6) 她奶奶坐過一次飛機。

zhè shì nǐ dì yī cì lái běi jīng ma
(7) 這是你第一次來北京嗎？

tā bà ba měi nián huí hán guó yí cì
(8) 她爸爸每年回韓國一次。

yīng guó měi nián dōng tiān xià hǎo jǐ cì xuě
(9) 英國每年冬天下好幾次雪。

NOTE

cì
"次" measure word (for action)

(a) 一次 once　兩次 twice

(b) 好幾次 several times

(c) 第一次 the first time

(d) 我去過上海三次。
I have been to Shanghai three
times.

(e) 你去過英國幾次？
How many times have you been to
England?

8 Translation.

(1) 他奶奶看上去七十歲左右。
tā nǎi nai kàn shang qu qī shí suì zuǒ yòu

(2) 他爸爸看上去像日本人。
tā bà ba kàn shang qu xiàng rì běn rén

(3) 他看上去像個畫家。
tā kàn shang qu xiàng ge huà jiā

(4) 他爸爸看上去像個商人。
tā bà ba kàn shang qu xiàng ge shāng rén

(5) 這小孩看上去十歲左右。
zhè xiǎo hái kàn shang qu shí suì zuǒ yòu

(6) 你爺爺看上去不老。
nǐ yé ye kàn shang qu bù lǎo

NOTE

"看上去（像）" look (like)
kàn shang qu xiàng

(a) 他看上去六十歲左右。
He looks about sixty.

(b) 她看上去像老師。
She looks like a teacher.

9 Answer the following questions.

(1) 今天天氣怎麼樣？氣溫是多少度？
jīn tiān tiān qì zěn me yàng qì wēn shì duō shao dù

(2) 今天是幾月幾號？星期幾？
jīn tiān shì jǐ yuè jǐ hào xīng qī jǐ

(3) 你們今年什麼時候開始放寒假？放幾個星期？
nǐ men jīn nián shén me shí hou kāi shǐ fàng hán jià fàng jǐ ge xiāng qī

(4) 寒假裏你想去哪兒？
hán jià li nǐ xiǎng qù nǎr

(5) 你喜歡暑假還是寒假？
nǐ xǐ huan shǔ jià hái shi hán jià

(6) 你們下個學期什麼時候開學？
nǐ men xià ge xué qī shén me shí hou kāi xué

(7) 你是在哪兒出生的？
nǐ shì zài nǎr chū shēng de

(8) 你會滑雪嗎？
nǐ huì huá xuě ma

(9) 你堆過雪人嗎？
nǐ duī guo xuě rén ma

謎語 Riddle

你笑他也笑，
nǐ xiào tā yě xiào

你叫他也叫。
nǐ jiào tā yě jiào

你問他是誰？
nǐ wèn tā shì shuí

他說他是你。
tā shuō tā shì nǐ

（打一物）

第三單元　愛好

第八課　我的愛好是聽音樂

1

wǒ jiào chéng fāng　shì zhōng guó
我叫程方，是中國

rén　wǒ jīn nián shí èr suì　shàng bā
人。我今年十二歲，上八

nián jí　wǒ měi tiān zǎo shang qī diǎn bàn
年級。我每天早上七點半

shàng xué　xià wǔ sān diǎn bàn fàng xué
上學，下午三點半放學。

huí jiā yǐ hòu wǒ zǒng shì xiān kàn yí huìr
回家以後我總是先看一會

diàn shì　rán hòu zuò zuò yè　zhōu
兒電視，然後做作業。周

mò wǒ yǒu shí hou qù kàn diàn yǐng
末我有時候去看電影。

2

wǒ jiào wáng dōng　shì xiāng gǎng rén
我叫王東，是香港人。

wǒ zài yīng guó zhù guo sān nián bàn　wǒ měi
我在英國住過三年半。我每

tiān xià wǔ sān diǎn fàng xué　huí jiā yǐ
天下午三點放學。回家以

hòu　wǒ zǒng shì xiān zuò zuò yè　zuò wán
後，我總是先做作業。做完

zuò yè yǐ hòu　wǒ xǐ huan wán diàn nǎo yóu
作業以後，我喜歡玩電腦遊

xì　kàn xiǎo shuō　wǒ zuì xǐ huan kàn yīng
戲、看小說。我最喜歡看英

yǔ xiǎo shuō
語小說。

3

wǒ jiào zhōu jīng jing　wǒ shì zài zhōng guó chū shēng　zài měi guó zhǎng dà de　wǒ de ài hào
我叫周京京。我是在中國出生，在美國長大的。我的愛好

shì tīng yīn yuè　gǔ diǎn yīn yuè　liú xíng yīn yuè　wǒ dōu xǐ huan tīng　wǒ hái xǐ huan tiào wǔ
是聽音樂，古典音樂、流行音樂，我都喜歡聽。我還喜歡跳舞。

Answer the questions.

chéng fāng měi tiān jǐ diǎn fàng xué
(1) 程方每天幾點放學？

tā huí jiā yǐ hòu xiān zuò shén me
(2) 她回家以後先做什麼？

zhōu mò tā yǒu shí hou zuò shén me
(3) 周末她有時候做什麼？

wáng dōng shì yīng guó rén ma
(4) 王東是英國人嗎？

wáng dōng zài yīng guó zhù guo ma
(5) 王東在英國住過嗎？

wáng dōng yǒu shén me ài hào
(6) 王東有什麼愛好？

zhōu jīng jing shì zài nǎr chū shēng de
(7) 周京京是在哪兒出生的？

tā de ài hào shì shén me
(8) 她的愛好是什麼？

New Words

① ài hào 愛好 hobby; like

② tīng 聽（听）listen; hear

③ yīn 音 sound; tone

④ yuè 樂（乐）music　yīn yuè 音樂 music
tīng yīn yuè 聽音樂 listen to music

⑤ zǒng 總（总）sum up; always
zǒng shì 總是 always

⑥ yí huìr 一會兒 a little while; a short time

⑦ shì 視（视）look at; watch　diàn shì 電視 TV
kàn diàn shì 看電視 watch TV

⑧ yè 業（业）profession; trade
zuò yè 作業 homework
zuò zuò yè 做作業 do homework

⑨ yǐng 影 shadow; film　diàn yǐng 電影 movie
kàn diàn yǐng 看電影 watch movies

⑩ wán 完 finish

⑪ wán 玩 play

⑫ nǎo 腦（脑）brain　diàn nǎo 電腦 computer

⑬ xì 戲（戏）play; drama　yóu xì 遊戲 game
wán diàn nǎo yóu xì 玩電腦遊戲 play computer games

⑭ xiǎo shuō 小說 novels; fiction

⑮ diǎn 典 standard　gǔ diǎn 古典 classical
gǔ diǎn yīn yuè 古典音樂 classical music

⑯ liú 流 flow; current　liú xíng 流行 popular
liú xíng yīn yuè 流行音樂 pop music

⑰ tiào 跳 jump; beat

⑱ wǔ 舞 dance　tiào wǔ 跳舞 dance

1 Match the pictures with the words in the box.

<table>
<tr><td>kàn diàn shì</td></tr>
<tr><td>(a) 看電視</td></tr>
<tr><td>kàn shū</td></tr>
<tr><td>(b) 看書</td></tr>
<tr><td>tīng yīn yuè</td></tr>
<tr><td>(c) 聽音樂</td></tr>
<tr><td>zuò zuò yè</td></tr>
<tr><td>(d) 做作業</td></tr>
<tr><td>wán diàn nǎo yóu xì</td></tr>
<tr><td>(e) 玩電腦遊戲</td></tr>
<tr><td>gǔ diǎn yīn yuè</td></tr>
<tr><td>(f) 古典音樂</td></tr>
<tr><td>liú xíng yīn yuè</td></tr>
<tr><td>(g) 流行音樂</td></tr>
<tr><td>kàn diàn yǐng</td></tr>
<tr><td>(h) 看電影</td></tr>
<tr><td>tiào wǔ</td></tr>
<tr><td>(i) 跳舞</td></tr>
</table>

2 Pattern drills.

xiě máo bǐ zì
(1) 寫一會兒毛筆字 (寫毛筆字)

kàn diàn shì
(2) _____ (看電視)

wán diàn nǎo yóu xì
(3) _____ (玩電腦遊戲)

shài tài yáng
(4) _____ (曬太陽)

tīng yīn yuè
(5) _____ (聽音樂)

yóu yǒng
(6) _____ (游泳)

kàn shū
(7) _____ (看書)

qí zì xíng chē
(8) _____ (騎自行車)

NOTE

yí huìr
"一會兒"

a little while; a short time

畫一會兒畫兒

to draw for a little while

52

3 Finish the following sentences with the words in the box.

1. bǎo yún fēi cháng xǐ huan
   寶雲非常喜歡 h 。

2. xiǎo dōng měi tiān wǎn
   小東每天晚
   shang
   上 _____ 。

3. zhāng lǎo shī zuì xǐ huan
   張老師最喜歡 _____ 。

4. dà lì xǐ huan
   大力喜歡 _____ 。

5. xiǎo fāng měi xīng qī liù qù
   小方每星期六去 _____ 。

6. xiǎo tiān měi tiān dōu
   小天每天都 _____ 。

7. xiǎo míng měi tiān wǎn
   小明每天晚
   shang zài jiā
   上在家 _____ 。

8. wáng nǎi nai hěn huì
   王奶奶很會 _____ 。

9. xiǎo huā hěn
   小花很
   huì
   會 _____ 。

10. xià xuě tiān   hái zi
    下雪天，孩子
    men xǐ huan
    們喜歡 _____ 。

(a) 滑雪　(b) 堆雪人

(c) 聽流行音樂　(d) 做飯　(e) 做作業

(f) 玩電腦遊戲　(g) 看小説　(h) 聽古典音樂　(i) 看電影　(j) 看電視

1 王先生喜歡 ____b____ 。
wángxiān sheng xǐ huan

 (a)
 (b)
 (c)

4 小雪喜歡 _____ 。
xiǎo xuě xǐ huan

 (a)
 (b)
 (c)

2 張小姐喜歡 _____ 。
zhāng xiǎo jie xǐ huan

 (a)
 (b)
 (c)

5 方方喜歡 _____ 。
fāngfang xǐ huan

 (a)
 (b)
 (c)

3 冬冬喜歡 _____ 。
dōng dong xǐ huan

 (a)
 (b)
 (c)

6 周老師喜歡 _____ 。
zhōu lǎo shī xǐ huan

 (a)
 (b)
 (c)

5 **Finish the following sentences.**

(1) 看完電影以後 (after the movie),
我們去飯店吃飯。
wǒ men qù fàn diàn chī fàn

(2) _____ (after dinner),
我們玩電腦遊戲。
wǒ men wán diàn nǎo yóu xì

(3) _____ (after swimming),
我們去看電影。
wǒ men qù kàn diàn yǐng

(4) 我 _____ (after my
homework) 聽一會兒音樂。
wǒ tīng yí huìr   yīn yuè

 NOTE

"……完……以後，……"
wán   yǐ hòu

after finishing...

(a) 他每天做完作業以後看電視。
Everyday, after finishing his homework, he watches TV.

(b) 寫完毛筆字以後，他畫畫兒。
After practising his calligraphy, he draws pictures.

6 CD1 T27 Listen to the recording. Fill in the blanks with the words in the box.

mǎ xiǎo chūn xǐ huan
1 馬小春喜歡＿＿＿＿＿。 冬天 dōng tiān

tā jīng cháng qù
他經常去＿＿＿＿＿、＿＿＿＿＿，夏天 xià tiān

tā xǐ huan
他喜歡＿＿＿＿＿。

wáng xiǎo wén bù xǐ huan
2 王小文不喜歡＿＿＿＿＿，她 tā

xǐ huan   tā zuò zuò yè de shí hou
喜歡＿＿＿＿＿。 她做作業的時候

xǐ huan
喜歡＿＿＿＿＿。

lǐ yún xǐ huan
3 李雲喜歡＿＿＿＿＿，她最喜 tā zuì xǐ

huan   tā yě xǐ huan
歡＿＿＿＿＿，她也喜歡＿＿＿＿＿。

tā hái xǐ huan
她還喜歡＿＿＿＿＿。

Word box:

(a) 聽古典音樂

(b) 滑冰

(c) 滑雪

(d) 游泳

(e) 運動

(f) 聽音樂

(g) 聽流行音樂

(h) 跳舞

7 Translation.

hēi sè   lán sè   wǒ dōu xǐ huan
(1) 黑色、藍色，我都喜歡。

(2) Her grandmother can speak English, French, German and Japanese.

huá xuě   huá bīng   wǒ dōu bú huì
(3) 滑雪、滑冰，我都不會。

gǔ diǎn yīn yuè   liú xíng yīn yuè   tā dōu xǐ huan
(4) 古典音樂、流行音樂，她都喜歡。

(5) My little brother does not like doing homework, nor does he like reading.

niú zǎi kù   qún zi   wǒ dōu xǐ huan chuān
(6) 牛仔褲、裙子，我都喜歡穿。

NOTE

dōu
"……，都……" both; all

(a) 看電影、看電視，
我都喜歡。
I like watching both movies and TV.

(b) 看電影、看電視，
我都不喜歡。
I do not like watching movies or TV.

閱讀（七）春節  CD1 T28

chūn jié　　　yě jiào nóng lì xīn nián　　shì zhōng
春節，也叫農曆新年，是中
guó rén yì nián zhōng zuì zhòng yào de jié rì　guò
國人一年中最重要的節日。過
nián shí　　běi fāng rén jiā jiā hù hù chī jiǎo zi
年時，北方人家家戶戶吃餃子，
nán fāng rén chī nián gāo
南方人吃年糕。

New Words

1 nóng
農（农）agriculture; farmer

nóng lì
農曆（历）the lunar calendar

2 xīn nián
新年 New Year

nóng lì xīn nián
農曆新年 the Chinese New Year

3 zhòng
重 weight; heavy; important

zhòng yào
重要 important; major

4 jié rì
節日 festival; holiday

5 guò nián
過年 celebrate the New Year

6 běi fāng rén
北方人 Northerner

7 hù
戶 door; household; family

jiā jiā hù hù
家家戶戶 every household

8 jiǎo
餃（饺）dumpling

jiǎo zi
餃子 dumpling

9 nán fāng rén
南方人 Southerner

10 gāo
糕 cake; pudding

nián gāo
年糕 New Year cake (made of
glutinous rice flour)

第九課　他打籃球打得最好

1

gāo míng jīn nián shí wǔ suì　shàng shí yī
高明今年十五歲，上十一
nián jí　　zài xué xiào　tā cān jiā le hǎo duō
年級。在學校，他參加了好多
kè wài huó dòng　lán qiú　pái qiú　zú qiú
課外活動，籃球、排球、足球、
yǔ máo qiú　tā dōu cān jiā le　tā dǎ lán
羽毛球，他都參加了。他打籃
qiú dǎ de zuì hǎo　tā měi tiān fàng xué yǐ hòu
球打得最好。他每天放學以後
dōu huì dǎ yí ge xiǎo shí de lán qiú
都會打一個小時的籃球。

2

tā dì di jīn nián shí yī suì
他弟弟今年十一歲，
shàng qī nián jí　tā fēi cháng xǐ huan tī
上七年級。他非常喜歡踢
zú qiú　měi tiān fàng xué yǐ hòu　tā dōu
足球。每天放學以後，他都
yào tī sì shí fēn zhōng de zú qiú　tā
要踢四十分鐘的足球。他
hái xǐ huan dǎ pīng pāng qiú
還喜歡打乒乓球。

3

tā mā ma shì yì jiā gōng sī de
他媽媽是一家公司的
mì shū　tā yě xǐ huan yùn dòng　tā xǐ
秘書。她也喜歡運動。她喜
huan dǎ wǎng qiú　yě xǐ huan dǎ yǔ máo qiú
歡打網球，也喜歡打羽毛球。
tā mā ma yǒu shí hou hái gēn tā bà ba yì
他媽媽有時候還跟他爸爸一
qǐ qù dǎ gāo ěr fū qiú
起去打高爾夫球。

4

tā bà ba shì lǜ shī　tā
他爸爸是律師。他
měi ge zhōu mò dōu qù dǎ gāo ěr fū
每個周末都去打高爾夫
qiú　tā dǎ gāo ěr fū qiú dǎ de
球。他打高爾夫球打得
hěn hǎo　tā hái xǐ huan pǎo bù
很好。他還喜歡跑步。

gāo míng cān jiā le shén me kè wài huó dòng
(1) 高明參加了什麼課外活動？

gāo míng de dì di xǐ huan shén me yùn dòng
(2) 高明的弟弟喜歡什麼運動？

gāo míng de mā ma ye xǐ huan yùn dòng ma
(3) 高明的媽媽也喜歡運動嗎？

gāo míng de bà ba dǎ gāo ěr fū qiú dǎ de zěn me yàng
(4) 高明的爸爸打高爾夫球打得怎麼樣？

New Words

lán
① 籃（篮）basket

qiú　　　　lán qiú
② 球 ball　籃球 basketball

dǎ lán qiú
打籃球 play basketball

cān
③ 參（参）join; refer

cān jiā
參加 join; participate

hǎo duō
④ 好多 a lot of

kè
⑤ 課（课）course; class; lesson

huó　　　　　huó dòng
⑥ 活 live; alive　活動 exercise; activity

kè wài huó dòng
課外活動 extracurricular activity

pái　　　　　　　　　pái qiú
⑦ 排 arrange; row; line　排球 volleyball

dǎ pái qiú
打排球 play volleyball

zú qiú
⑧ 足球 soccer; football

yǔ　　　　　　yǔ máo qiú
⑨ 羽 feather　羽毛球 badminton

dǎ yǔ máo qiú
打羽毛球 play badminton

tī　　　　　　　　tī zú qiú
⑩ 踢 kick; play　踢足球 play football

zhōng　　　　　　　　　　fēn zhōng
⑪ 鐘（钟）bell; clock; time　分鐘 minute

pīng
⑫ 乒 table tennis

pāng　　　　　pīng pāng qiú
⑬ 乓 bang　乒乓球 table tennis

dǎ pīng pāng qiú
打乒乓球 play table tennis

wǎng　　　　　　wǎng qiú
⑭ 網（网）net　網球 tennis

dǎ wǎng qiú
打網球 play tennis

gēn
⑮ 跟 heel; follow; and

qǐ　　　　　　yì qǐ
⑯ 起 rise; start　一起 together

gēn　　　 yì qǐ
跟……一起…… (together) with...

gāo ěr fū qiú
⑰ 高爾夫球 golf

dǎ gāo ěr fū qiú
打高爾夫球 play golf

pǎo
⑱ 跑 run

bù　　　　　　　pǎo bù
⑲ 步 step; walk　跑步 run

58

1 Match the words with the pictures.

huá bīng
(1) 滑冰

huá xuě
(2) 滑雪

dǎ yǔ máo qiú
(3) 打羽毛球

dǎ pīng pāng qiú
(4) 打乒乓球

tī zú qiú
(5) 踢足球

yóu yǒng
(6) 游泳

huá shuǐ
(7) 滑水

dǎ gāo ěr fū qiú
(8) 打高爾夫球

qí mǎ
(9) 騎馬

dǎ lán qiú
(10) 打籃球

dǎ pái qiú
(11) 打排球

dǎ wǎng qiú
(12) 打網球

pǎo bù
(13) 跑步

2

① mā ma shì mì shū   tā
媽媽是秘書。她

xǐ huan
喜歡＿＿＿＿＿。

② bà ba shì gōng chéng shī
爸爸是工程師。

tā xǐ huan
他喜歡＿＿＿＿＿。

③ gē ge jīn nián èr shí suì
哥哥今年二十歲。

tā xǐ huan
他喜歡＿＿＿＿＿。

④ dì di shì xiǎo xué shēng
弟弟是小學生，

jīn nián shàng wǔ nián jí
今年上五年級。

tā xǐ huan
他喜歡＿＿＿＿＿。

(a) 打羽毛球　　(b) 打乒乓球　　(c) 踢足球　　(d) 游泳

(e) 跑步　　　　(f) 打高爾夫球　(g) 打網球　　(h) 打籃球

(i) 打排球　　　(j) 去海邊玩兒　(k) 看電視　　(l) 玩電腦遊戲

---

3   Say the length of time in Chinese.

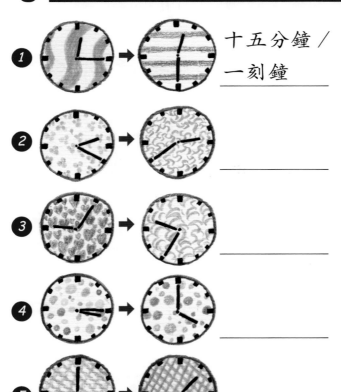

① → 十五分鐘／
一刻鐘＿＿＿

② → ＿＿＿＿＿

③ → ＿＿＿＿＿

④ → ＿＿＿＿＿

⑤ → ＿＿＿＿＿

NOTE

Duration of time:

èr shí fēn zhōng
(a) 二十分鐘 twenty minutes

sān kè zhōng
(b) 三刻鐘 forty-five minutes

bàn ge xiǎo shí　zhōng tóu
(c) 半個小時（鐘頭）half an

hour

liǎng ge bàn xiǎo shí
(d) 兩個半小時 two and a half hours

yí ge xiǎo shí wǔ shí fēn zhōng
(e) 一個小時五十分鐘

an hour and fifty minutes

4 Finish the following sentences.

(1) wǒ men qù nián qù yīng guó le
我們去年去英國了。wǒ men我們

zài nàr zhù le
在那兒住了＿＿＿＿＿。

(one and a half months)

(2) xiǎo míng zài xué xiào děng tā mā ma
小明在學校等他媽媽。

tā děng le
他等了＿＿＿＿＿。(half an hour)

(3) tā měi tiān pǎo bù pǎo
他每天跑步跑＿＿＿＿＿。

(forty-five minutes)

(4) xiǎo fāng yóu yǒng yóu le
小方游泳游了＿＿＿＿＿。

(two hours)

NOTE

1. Duration of time:

(a) wǔ tiān
五天 five days

(b) liǎng nián bàn
兩年半 two and a half years

(c) sān ge xīng qī
三個星期 three weeks

(d) yí ge bàn yuè
一個半月 one and a half months

(e) yí ge shàng wǔ
一個上午 the whole morning

2. Duration of an action:

他做作業做了兩個小時。

He spent two hours on his homework.

5 Say one sentence for each picture.

Example

tā tī zú qiú tī le
他踢足球踢了
yí ge xiǎo shí
一個小時。

4:00-5:00

3:00-4:30

5

2:00-4:00

7:15-9:00

4

1
9:00-10:45

3:30-4:15

3

6 Translation.

(1) xiǎo míng měi tiān xià wǔ dǎ yí ge xiǎo shí de lán qiú
小明每天下午打一個小時的籃球。

(2) tā zuó tiān wǎn shang wán le liǎng ge xiǎo shí de diàn nǎo yóu xì
他昨天晚上玩了兩個小時的電腦遊戲。

(3) tā gē ge měi tiān kàn bàn ge xiǎo shí de diàn shì
他哥哥每天看半個小時的電視。

(4) dà lì měi tiān fàng xué yǐ hòu zǒng shì dǎ bàn ge xiǎo shí de pái qiú rán hòu huí jiā
大力每天放學以後總是打半個小時的排球，然後回家。

(5) zhōu jīng lǐ měi ge xīng qī liù dǎ yí ge shàng wǔ de gāo ěr fū qiú
周經理每個星期六打一個上午的高爾夫球。

7 Answer the following questions.

(1) nǐ měi tiān dōu yǒu zuò yè ma
你每天都有作業嗎？

(2) nǐ měi tiān zuò jǐ ge xiǎo shí de zuò yè
你每天做幾個小時的作業？

(3) nǐ cān jiā xué xiào de kè wài huó dòng ma
你參加學校的課外活動嗎？

(4) nǐ xǐ huan shén me yùn dòng
你喜歡什麼運動？

(5) nǐ huì dǎ lán qiú ma nǐ dǎ de zěn
你會打籃球嗎？你打得怎
me yàng
麼樣？

(6) nǐ dǎ guo gāo ěr fū qiú ma
你打過高爾夫球嗎？

(7) nǐ xǐ huan wán diàn nǎo yóu xì ma
你喜歡玩電腦遊戲嗎？

(8) nǐ měi ge zhōu mò dōu qù kàn diàn yǐng ma
你每個周末都去看電影嗎？

(9) nǐ měi tiān dōu kàn diàn shì ma kàn jǐ
你每天都看電視嗎？看幾
ge xiǎo shí
個小時？

(10) nǐ xǐ huan tīng shén me yīn yuè
你喜歡聽什麼音樂？

NOTE

Another way of expressing duration of an action:

他每天做作業做三個小時。
He does three hours of homework everyday.

You can also say:

他每天做三個小時的作業。

謎語 Riddle

liǎng ge xiōng dì
兩個兄弟，

zhù zài yì qǐ
住在一起，

yǔ tiān chū mén zǒu
雨天出門走，

qíng tiān zài jiā li
晴天在家裏。

（打一物）

62

8 Translation.

(1) I will go and watch a movie with my classmates tomorrow.

kàn diàn yǐng
看電影

(2) Next month I will go skiing with my parents.

huá xuě
滑雪

(3) I like doing my homework with my friends.

zuò zuò yè
做作業

(4) I rarely play table tennis with my little brother, because he cannot play very well.

dǎ pīng pāng qiú
打乒乓球

(5) I like going out with my friends.

chū qù wán
出去玩

(6) I do not like playing golf with my father.

dǎ gāo ěr fū qiú
打高爾夫球

NOTE

gēn hé   yì qǐ
"跟（和）……一起……"

(together) with ...

我每天跟小明一起打網球。

I play tennis with Xiao Ming everyday.

9 CD1 T31 Listen to the recording. Fill in Xiao Sheng's diary with times and activities.

(a) 打排球

(b) 打網球

(c) 踢足球

(d) 打高爾夫球

(e) 打籃球

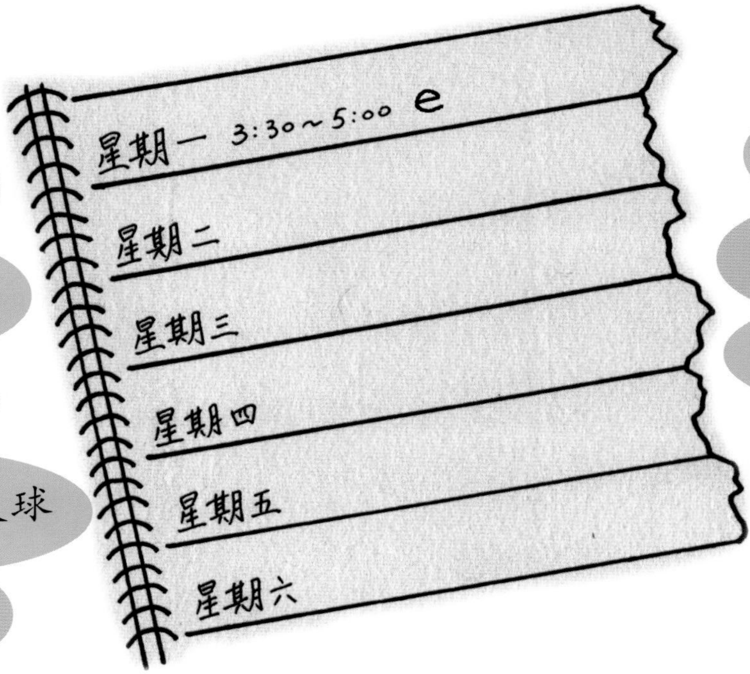

星期一　3:30～5:00　e

星期二

星期三

星期四

星期五

星期六

(f) 打乒乓球

(g) 打羽毛球

(h) 看電影

(i) 滑冰

(j) 跑步

閱　讀（八）　端午節

měi nián de nóng lì　wǔ yuè chū wǔ shì duān wǔ jié
每年的農曆五月初五是端午節，

yě jiào lóng zhōu jié　　zhè yì tiān　　rén men sài lóng zhōu
也叫龍舟節。這一天，人們賽龍舟，

jiā jiā dōu chī zòng zi
家家都吃糉子。

New Words

duān
① 端 end; carry

duān wǔ jié
端午節 the Dragon Boat Festival

chū
② 初 at the beginning of

wǔ yuè chū wǔ
五月初五 May 5th (lunar calendar)

lóng
③ 龍（龙）dragon

zhōu　　　　　　 lóng zhōu jié
④ 舟 boat　　龍舟節 the Dragon Boat
　　　　　　　　　　 Festival

sài
⑤ 賽 match; game; competition

sài lóng zhōu
賽龍舟 Dragon-boat Race

zòng　　　　　 zi
⑥ 糉（粽）子 a pyramid-shaped
　　　　　　　　 dumpling made of
　　　　　　　　 sticky rice wrapped in
　　　　　　　　 bamboo or reeds

第十課　她喜歡彈吉他

1

tā jiào wáng jiā fāng　tā bù xǐ huan
她叫王家方。她不喜歡

yùn dòng　tā xǐ huan yīn yuè　chú le chàng
運動，她喜歡音樂。除了唱

gē yǐ wài　tā hái xǐ huan tán jí tā
歌以外，她還喜歡彈吉他。

tā cóng shí suì kāi shǐ
她從十歲開始

zì xué tán jí tā　tā
自學彈吉他。她

jīng cháng yì biān tán
經常一邊彈

jí tā　yì biān chàng
吉他一邊唱

gē　tā hái cān jiā le
歌。她還參加了

xué xiào de hé chàng
學校的合唱

duì
隊。

2

tā jiào
她叫

gāo xīn　tā
高新。她

cóng xiǎo xǐ huan
從小喜歡

huà huàr
畫畫兒。

tā fù mǔ dōu
她父母都

shì yǒu míng de huà jiā　yóu huà　shuǐ
是有名的畫家。油畫、水

cǎi huà　gāng bǐ huà　tā dōu huì huà
彩畫、鋼筆畫，她都會畫。

tā huà yóu huà huà de zuì hǎo　tā xiàn
她畫油畫畫得最好。她現

zài zhèng zài xué guó huà
在正在學國畫。

3

tā jiào zhōu lì　tā hěn xǐ huan yùn dòng　yě
他叫周力。他很喜歡運動，也

xǐ huan yīn yuè　tā yóu yǒng yóu de fēi cháng hǎo
喜歡音樂。他游泳游得非常好，

shì xué xiào yóu yǒng duì de duì yuán　tā cóng wǔ
是學校游泳隊的隊員。他從五

suì kāi shǐ tán gāng qín　bā suì kāi shǐ lā xiǎo tí
歲開始彈鋼琴，八歲開始拉小提

qín　tā měi tiān dōu tán bàn ge xiǎo shí de gāng qín
琴。他每天都彈半個小時的鋼琴，

lā bàn ge xiǎo shí de xiǎo tí qín
拉半個小時的小提琴。

wáng jiā fāng yǒu shén me ài hào
(1) 王家方有什麼愛好？

tā cóng jǐ suì kāi shǐ tán jí tā
(2) 她從幾歲開始彈吉他？

gāo xīn huì huà shén me huàr
(3) 高新會畫什麼畫兒？

tā shén me huà huà de zuì hǎo
(4) 她什麼畫畫得最好？

zhōu lì yǒu shén me ài hào
(5) 周力有什麼愛好？

zhōu lì yǒu méi yǒu cān jiā xué xiào de yóu yǒng duì
(6) 周力有沒有參加學校的游泳隊？

tā cóng jǐ suì kāi shǐ tán gāng qín
(7) 他從幾歲開始彈鋼琴？

tā měi tiān lā xiǎo tí qín ma
(8) 他每天拉小提琴嗎？

New Words

tán
❶ 彈（弹）play (a stringed instrument)

jí
❷ 吉 lucky　吉他 guitar
tán jí tā
彈吉他 play the guitar

chú
❸ 除 get rid of; besides; except
chú le yǐ wài
除了……（以外）besides; except

chàng
❹ 唱 sing

gē chàng gē
❺ 歌 song　唱歌 sing a song

zì xué
❻ 自學 teach oneself

yì biān yì biān
❼ 一邊……一邊……at the same time

hé hé chàng
❽ 合 close; join　合唱 chorus

duì hé chàng duì
❾ 隊（队）team; group　合唱隊 choir
yóu yǒng duì
游泳隊 swimming team
duì yuán
隊員 team member

huà huàr
❿ 畫畫兒 draw (paint) a picture

yóu yóu huà
⓫ 油 oil　油畫 oil painting

cǎi shuǐ cǎi huà
⓬ 彩 colour　水彩畫 watercolour (painting)

gāng
⓭ 鋼（钢）steel
gāng bǐ huà
鋼筆畫 pen-and-ink drawing

zhèng
⓮ 正 straight; upright; correct
zhèng zài
正在 in the process of

qín
⓯ 琴 a general name for certain musical instruments
gāng qín
鋼琴 piano
tán gāng qín
彈鋼琴 play the piano

lā
⓰ 拉 pull; play (certain musical instruments)

tí
⓱ 提 carry in one's hand; raise
xiǎo tí qín
小提琴 violin
lā xiǎo tí qín
拉小提琴 play the violin

66

1 Match the pictures with the words in the box.

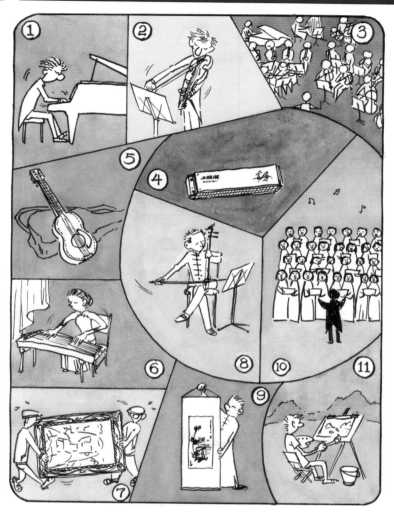

	shuǐ cǎi huà
(a)	水彩畫
	yóu huà
(b)	油畫
	guó huà
(c)	國畫
	hé chàng duì
(d)	合唱隊
	yuè duì
(e)	樂隊
	lā xiǎo tí qín
(f)	拉小提琴
	tán gāng qín
(g)	彈鋼琴
	jí tā
(h)	吉他
	tán gǔ zhēng
(i)	彈古箏
	lā èr hú
(j)	拉二胡
	kǒu qín
(k)	口琴

2 Translation.

chú le kàn diàn yǐng　kàn diàn shì yǐ wài
(1) 除了看電影、看電視以外，

tā hái xǐ huan kàn xiǎo shuō　tīng yīn yuè
她還喜歡看小說、聽音樂。

chú le chàng gē yǐ wài　tā hái xǐ huan tán jí tā
(2) 除了唱歌以外，她還喜歡彈吉他。

chú le yùn dòng yǐ wài　tā hái xǐ huan huà huàr
(3) 除了運動以外，他還喜歡畫畫兒。

chú le lán qiú yǐ wài　tā hái dǎ wǎng qiú hé pái
(4) 除了籃球以外，他還打網球和排

qiú
球。

NOTE

chú le　　　yǐ wài
"除了……以外"

besides; except

除了打球以外，他還
喜歡音樂。

Besides ball games, he likes
music.

CD1 T34 Listen to the recording. Write the letters corresponding to the activities for the four people below.

(1) 小明: a _____

(2) 小方: _____

(3) 大力: _____

(4) 大生: _____

4 Finish the following sentences.

Example

chú le dǎ pīng pāng qiú yǐ
除了打乒乓球以
wài　　 tā hái xǐ huan dǎ
外，他還喜歡打
gāo ěr fū qiú
高爾夫球。

chú le
(1) 除了＿＿＿＿＿＿，
tā hái xǐ huan tī zú qiú
他還喜歡踢足球。

chú le
(2) 除了＿＿＿＿＿＿，
tā hái huì lā xiǎo tí qín
她還會拉小提琴。

chú le　　　　　　　　 tā
(3) 除了＿＿＿＿＿＿，她
hái huì tán gǔ zhēng hé lā èr hú
還會彈古箏和拉二胡。

chú le huì dǎ wǎng qiú yǐ wài
(4) 除了會打網球以外，
tā
他＿＿＿＿＿＿＿。

chú le xǐ huan kàn diàn yǐng yǐ
(5) 除了喜歡看電影以
wài　 tā
外，她＿＿＿＿＿。

Example

tā xǐ huan yì biān pǎo
他喜歡一邊跑
bù yì biān tīng yīn yuè
步一邊聽音樂。

pǎo bù　　tīng yīn yuè
跑步 / 聽音樂

NOTE

yì biān　　　　yì biān
"一邊……一邊……"
two actions are happening at the
same time.

她喜歡一邊彈鋼琴一邊
唱歌。 She likes singing while
playing the piano.

1

shài tài yáng　　kàn shū
曬太陽 / 看書

2

kāi chē　　tīng yīn yuè
開車 / 聽音樂

3

kàn diàn shì　　chī fàn
看電視 / 吃飯

4

huà huàr　　　tīng yīn yuè
畫畫兒 / 聽音樂

5

kàn diàn shì　　zuò zuò yè
看電視 / 做作業

6

zuò fàn　　tīng yīn yuè
做飯 / 聽音樂

7

tán jí tā　　chàng gē
彈吉他 / 唱歌

10

6 CD1 T35 Listen to the recording. Fill in the time schedule and answer the questions.

(a) 打籃球

(b) 打排球

(c) 打網球

(d) 打羽毛球

(e) 打乒乓球

(f) 打高爾夫球

(g) 踢足球

(h) 游泳

(i) 看電視

(j) 做作業

(k) 玩電腦遊戲

(l) 跟朋友一起
　　出去玩

(m) 跑步

(n) 彈鋼琴

(o) 拉小提琴

(p) 彈吉他

(q) 畫畫兒

星期一	下午	a
	晚上	
星期二	下午	
	晚上	
星期三	下午	
	晚上	
星期四	下午	
	晚上	
星期五	下午	
	晚上	

Answer the questions.

wén lóng měi tiān dōu yǒu kè wài huó dòng ma
(1) 文龍每天都有課外活動嗎？

tā xīng qī yī wǎn shang zuò shén me
(2) 他星期一晚上做什麼？

tā xīng qī èr xià wǔ yǒu kè wài huó dòng ma
(3) 他星期二下午有課外活動嗎？

tā nǎ tiān huó dòng zuì duō
(4) 他哪天活動最多？

tā nǎ tiān xià wǔ méi yǒu kè wài huó dòng
(5) 他哪天下午沒有課外活動？　文龍

Example

tā zhèng zài huà yóu huà
他 正 在 畫 油 畫 。

NOTE

zhèng zài
"正 在" in the process of

她 正 在 學 鋼 琴 。

She is learning to play the piano.

1

5

8

2

9

3

6

4

7

謎 語 Riddle

wǒ zǒu tā yě zǒu
我 走 他 也 走 ,
wǒ zuò tā yě zuò
我 坐 他 也 坐 ,
wǒ xiào tā bú xiào
我 笑 他 不 笑 ,
wǒ jiào tā bú jiào
我 叫 他 不 叫 。

（打一現象）

閱讀（九）中秋節

měi nián de yīn lì bā yuè shí
每年的陰曆八月十

wǔ shì zhōng qiū jié　yòu jiào tuán yuán
五是中秋節，又叫團圓

jié　zhōng qiū jié zhè tiān wǎn shang　yuè
節。中秋節這天晚上，月

liang yòu yuán yòu míng　rén men cháng cháng
亮又圓又明，人們常常

yì biān chī yuè bǐng yì biān shǎng yuè
一邊吃月餅一邊賞月。

New Words

1 zhōng qiū jié
中秋節 the Mid-autumn Festival

2 yīn lì
陰曆 lunar calendar

3 tuán
團（团）round; group; organization

4 yuán　　　　　tuán yuán
圓（圆）round; circle　團圓 reunion

tuán yuán jié　zhōng qiū jié
團圓節＝中秋節

the Mid-autumn Festival

5 liàng
亮 bright; light; shine

yuè liang
月亮 the moon

6 bǐng
餅（饼）a round flat cake

yuè bǐng
月餅 moon cake

7 shǎng
賞（赏）reward; admire; enjoy

shǎng yuè
賞月 enjoy the glorious full moon

第四單元　課程

第十一課　我們八點一刻上課

CD1 T37

1

tián xuě měi tiān zǎo shang qī diǎn
田雪每天早上七點
qǐ chuáng　tā yì qǐ chuáng jiù shuā yá
起床。她一起床就刷牙、
xǐ liǎn　rán hòu chī zǎo fàn　tā qī
洗臉，然後吃早飯。她七
diǎn bàn zuò xiào chē shàng xué　tā měi
點半坐校車上學。她每
tiān dài wǔ fàn qù xué xiào chī　tā
天帶午飯去學校吃。她
sān diǎn fàng xué huí jiā
三點放學回家。

2

tā gē ge měi tiān zǎo shang yě qī diǎn
她哥哥每天早上也七點
qǐ chuáng　qǐ chuáng yǐ hòu　tā xiān xǐ liǎn
起床。起床以後，他先洗臉、
shuā yá　rán hòu chī zǎo fàn　tā qī diǎn bàn
刷牙，然後吃早飯。他七點半
zǒu lù shàng xué　tā men bā diǎn yí kè shàng
走路上學。他們八點一刻上
kè　zhōng wǔ tā zài xué xiào mǎi wǔ fàn chī
課。中午他在學校買午飯吃。
tā sān diǎn bàn fàng xué huí jiā
他三點半放學回家。

3

tā mā ma shì jiā tíng zhǔ fù
她媽媽是家庭主婦。
tā xǐ huan wǎn shuì wǎn qǐ　tā tōng cháng
她喜歡晚睡晚起。她通常
wǎn shang shí èr diǎn shuì jiào　shàng wǔ shí
晚上十二點睡覺，上午十
diǎn qǐ chuáng　tā cóng lái bù chī zǎo
點起床。她從來不吃早
fàn　tā xǐ huan mǎi dōng xi
飯。她喜歡買東西。

4

tā bà ba zài yì jiā diàn nǎo gōng sī gōng zuò　tā zài zhè jiā gōng sī gōng zuò le shí
她爸爸在一家電腦公司工作。他在這家公司工作了十
wǔ nián le　tā měi tiān zǎo shang liù diǎn qǐ chuáng　tā yì qǐ chuáng jiù shuā yá　xǐ zǎo
五年了。他每天早上六點起床。他一起床就刷牙、洗澡，
rán hòu chī zǎo fàn　tā liù diǎn bàn kāi chē qù shàng bān　lù shang yào kāi bàn ge xiǎo shí de
然後吃早飯。他六點半開車去上班，路上要開半個小時的
chē　tā gōng zuò hěn máng　píng shí hěn shǎo yǒu shí jiān zài jiā
車。他工作很忙，平時很少有時間在家。

Answer the questions.

tián xuě měi tiān zǎo shang jǐ diǎn qǐ chuáng
(1) 田雪每天早上幾點起床？

tā shì bú shì zài xué xiào mǎi wǔ fàn chī
(2) 她是不是在學校買午飯吃？

tā gē ge zěn me shàng xué
(3) 她哥哥怎麼上學？

tā jǐ diǎn fàng xué huí jiā
(4) 他幾點放學回家？

tián xuě de mā ma gōng zuò ma
(5) 田雪的媽媽工作嗎？

tā mā ma tōng cháng wǎn shang jǐ diǎn shuì jiào
(6) 她媽媽通常晚上幾點睡覺？

tā yǒu shén me ài hào
(7) 她有什麼愛好？

tā bà ba zài nǎr gōng zuò
(8) 她爸爸在哪兒工作？

tā bà ba shàng bān yào kāi duō cháng shí jiān de chē
(9) 她爸爸上班要開多長時間的車？

tā bà ba píng shí zài jiā de shí jiān duō ma
(10) 她爸爸平時在家的時間多嗎？

New Words

1 shàng kè
   上課 attend class

2 chuáng   qǐ chuáng
   床 bed   起床 get up

3 shuā   shuā yá
   刷 brush   刷牙 brush one's teeth

4 xǐ
   洗 wash

5 liǎn   xǐ liǎn
   臉（脸）face   洗臉 wash one's face

6 jiù
   就 at once; right away

   yī   jiù
   一……就…… as soon as

7 shuì
   睡 sleep

8 jiào   shuì jiào
   覺（觉）sleep   睡覺 sleep

9 tōng cháng
   通常 usually; generally

10 cóng lái   cóng lái bù
   從來 always   從來不 never

11 mǎi
   買（买）buy

12 dōng xi
   東西 thing

   mǎi dōng xi
   買東西 go shopping

13 zǎo   xǐ zǎo
   澡 bath   洗澡 have a bath

14 máng
   忙 busy

15 píng   píng shí
   平 flat; average   平時 normally

16 jiān
   間（间）within a definite time or space

   shí jiān
   時間 time

   duō cháng shí jiān
   多長時間 how long (of time)

1 Match the pictures with the words in the box.

shuì jiào
(a) 睡覺

qǐ chuáng
(b) 起床

xǐ liǎn
(c) 洗臉

xǐ zǎo
(d) 洗澡

shuā yá
(e) 刷牙

chī fàn
(f) 吃飯

shàng kè
(g) 上課

zuò zuò yè
(h) 做作業

mǎi dōng xi
(i) 買東西

kàn diàn shì
(j) 看電視

2 CD1 T38 Listen to the recording. Write down the time.

qǐ chuáng
(1) 起床: 6:40 am

chī zǎo fàn
(2) 吃早飯:

shàng xué
(3) 上學:

kāi shǐ shàng kè
(4) 開始上課:

chī wǔ fàn
(5) 吃午飯:

fàng xué
(6) 放學:

kè wài huó dòng
(7) 課外活動:

chī wǎn fàn
(8) 吃晚飯:

zuò zuò yè
(9) 做作業:

kàn diàn shì
(10) 看電視:

xǐ zǎo   shuā yá
(11) 洗澡、刷牙:

shuì jiào
(12) 睡覺:

謎 語 Riddle

shēng zài zhōng guó
生 在 中 國 ,

zhù zài shān li
住 在 山 裏 ,

ài chī zhú zi
愛 吃 竹 子 ,

xǐ huan shuì jiào
喜 歡 睡 覺 。

（打一動物）

3 Make up sentences by using "一……就……".

Example

xǐ wán zǎo　chī zǎo fàn　　tā
洗完澡／吃早飯（他）

tā yì xǐ wán zǎo jiù chī zǎo fàn
他一洗完澡就吃早飯。

NOTE

yī　　　　jiù
"一……就……" as soon as

(a) 他每天一放學就回家。
　　　　　·　　·
As soon as the school finishes, he goes home.

(b) 老師一到我們就開始上課。
　　　·　　　·
As soon as the teacher arrives, we will start our lesson.

kàn wán diàn yǐng　　huí jiā　　jiě jie
(1) 看完電影／回家（姐姐）

dào jiā　xiān chī dōng xi　　dì di
(2) 到家／先吃東西（弟弟）

zuò wán zuò yè　　chū qù wán　　wǒ
(3) 做完作業／出去玩（我）

xiě wán máo bǐ zì　　tán gāng qín　　gē ge
(4) 寫完毛筆字／彈鋼琴（哥哥）

xǐ wán cài　　kāi shǐ zuò fàn　　mā ma
(5) 洗完菜／開始做飯（媽媽）

xià bān　　huí jiā　　bà ba
(6) 下班／回家（爸爸）

4 Say one sentence for each picture.

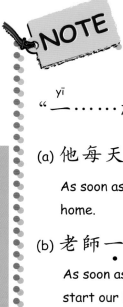

①
tā zhèng zài chī fàn
他正在吃飯。

②

③

④

⑤

⑥

Fill in the blanks with " 了 " when necessary.

wǒ bà ba qù běi jīng
(1) 我爸爸去北京＿＿＿＿。

tā dǎ　　　　liǎng ge xiǎo shí de wǎng qiú
(2) 他打＿＿＿＿ 兩個小時的網球

tā hái xiǎng dǎ
＿＿＿＿，他還想打。

tā měi tiān wǔ diǎn bàn xià bān
(3) 她每天五點半下班＿＿＿＿。

tā xué fǎ yǔ xué　　　　shí nián
(4) 她學法語學＿＿＿＿ 十年＿＿＿＿。

tā fǎ yǔ shuō de hěn liú lì
她法語説得很流利。

zhè nán hái chī　　　　èr shí ge jiǎo zi
(5) 這男孩吃＿＿＿＿二十個餃子

tā hái xiǎng chī
＿＿＿＿，他還想吃。

tā fēi cháng xǐ huan kàn diàn shì　　tā měi tiān kàn
(6) 他非常喜歡看電視。他每天看

liǎng ge xiǎo shí de diàn shì
兩個小時的電視＿＿＿＿。

tā lā xiǎo tí qín lā　　　　sān nián
(7) 她拉小提琴拉＿＿＿＿三年

kě shì tā lā de hái bú tài hǎo
＿＿＿＿，可是她拉得還不太好。

tā bà ba zài zhè jiā gōng sī gōng zuò
(8) 他爸爸在這家公司工作＿＿＿＿

shí nián　　　　tā hěn xǐ huan zhè jiā gōng sī
十年＿＿＿＿。他很喜歡 這家公司。

NOTE

1. " 了 " le expresses a completed action.

他去上班了。
He has gone to work.

2. " 了 " expresses progress up to the present.

我們一家人在英國
住了三十年了。
Our family has been living in England for thirty years.

3. " 了 " is not needed when expressing a habit.

他每天六點起床。
He gets up at six everyday.

---

6 Circle the correct pinyin.

(1) 起床　(a) qǐchuáng　(b) qǐchuán

(2) 洗澡　(a) xǐzhǎo　(b) xǐzǎo

(3) 睡覺　(a) shuìjiào　(b) shuìjué

(4) 洗臉　(a) xǐliǎn　(b) shǐliǎn

(5) 刷牙　(a) shuāyá　(b) shūnyá

(6) 買東西　(a) měi dōngxi　(b) mǎi dōngxi

7 CD1 T39 Listen to the recording. Fill in the time.

1
zhāng jiā míng tōng cháng
張 加 明 通 常

qǐ chuáng
6:45 起 床，

chī zǎo fàn
_____ 吃 早 飯。

2
tā měi tiān zǎo shang
他 每 天 早 上 _____

shàng xué tā zǒu lù zǒu
上 學。他 走 路 走

fēn zhōng
_____ 分 鐘。

3
zhāng jiā míng de mèi mei
張 加 明 的 妹 妹 _____

chī wǔ fàn tā huí jiā chī
吃 午 飯。她 回 家 吃

wǔ fàn
午 飯。

4
zhāng jiā míng píng shí xià
張 加 明 平 時 下

wǔ qù yóu
午 _____ 去 游

yǒng tā tōng cháng yóu xiǎo shí
泳。他 通 常 游 _____ 小 時。

5
tā wǎn shang kāi shǐ kàn
他 晚 上 _____ 開 始 看

diàn shì tā kàn xiǎo
電 視。他 看 _____ 小

shí de diàn shì
時 的 電 視。

6
zhāng jiā míng de mā ma
張 加 明 的 媽 媽

píng shí xià bān
平 時 _____ 下 班。

tā tōng cháng dào jiā
她 通 常 _____ 到 家。

7
zhāng jiā míng de bà
張 加 明 的 爸

ba měi xīng qī gōng
爸 每 星 期 工

zuò tiān tā měi tiān gōng
作 _____ 天。他 每 天 工

zuò xiǎo shí
作 _____ 小 時。

8
zhāng jiā míng tōng cháng shàng chuáng shuì
張 加 明 通 常 _____ 上 床 睡

jiào tā tōng cháng shuì
覺。他 通 常 睡

xiǎo shí
_____ 小 時。

閱 讀（十）茶

zhōng guó shì shì jiè shang zuì zǎo rèn shi chá
中 國 是 世 界 上 最 早 認 識 茶，

yě shì zuì zǎo zhòng chá   yǐn chá de guó jiā   zhōng
也 是 最 早 種 茶、飲 茶 的 國 家。中

guó de chá yè pǐn zhǒng hěn duō   yǒu hóng chá   lù
國 的 茶 葉 品 種 很 多，有 紅 茶、綠

chá   wū lóng chá   huā chá děng děng
茶、烏 龍 茶、花 茶 等 等。

New Words

1. chá
   茶 tea

2. rèn
   認（认）recognize; know

3. shí
   識（识）know; knowledge
   rèn shi
   認 識 know; understand

4. zhòng
   種（种）grow; plant
   zhòng chá
   種 茶 grow tea

5. yǐn
   飲（饮）drink
   yǐn chá
   飲 茶 drink tea

6. yè
   葉（叶）leaf
   chá yè
   茶 葉 tea leaves

7. pǐn
   品 article; product
   pǐn zhǒng
   品 種 breed; variety

8. hóng chá
   紅 茶 black tea

9. lù chá
   綠 茶 green tea

10. wū lóng chá
    烏 龍 茶 oolong (tea)

11. huā chá
    花 茶 scented tea

第十二課　我今年學十二門課

課程表 (kè chéng biǎo)

	星期一 (xīng qī yī)	星期二 (xīng qī èr)	星期三 (xīng qī sān)	星期四 (xīng qī sì)	星期五 (xīng qī wǔ)
8:20 – 9:00	英語 (yīng yǔ)	地理 (dì lǐ)	數學 (shù xué)	體育 (tǐ yù)	外語 (wài yǔ)
9:00 – 9:40	英語 (yīng yǔ)	地理 (dì lǐ)	數學 (shù xué)	體育 (tǐ yù)	外語 (wài yǔ)
9:40 – 9:50	課間休息 (kè jiān xiū xi)				
9:50 – 10:30	數學 (shù xué)	科學 (kē xué)	戲劇 (xì jù)	英語 (yīng yǔ)	科學 (kē xué)
10:30 – 11:10	數學 (shù xué)	科學 (kē xué)	戲劇 (xì jù)	英語 (yīng yǔ)	科學 (kē xué)
11:10 – 11:30	課間休息 (kè jiān xiū xi)				
11:30 – 12:10	歷史 (lì shǐ)	音樂 (yīn yuè)	外語 (wài yǔ)	電腦 (diàn nǎo)	戲劇 (xì jù)
12:10 – 12:50	歷史 (lì shǐ)	音樂 (yīn yuè)	外語 (wài yǔ)	班會 (bān huì)	戲劇 (xì jù)
12:50 – 1:50	午飯 (wǔ fàn)				
1:50 – 2:30	美術 (měi shù)	電腦 (diàn nǎo)	英語 (yīng yǔ)	科學 (kē xué)	家政 (jiā zhèng)
2:30 – 3:10	美術 (měi shù)	電腦 (diàn nǎo)	英語 (yīng yǔ)	科學 (kē xué)	家政 (jiā zhèng)

English

中文

王書文

以上是我的課程表。我每周上四十節課，每節課四十分鐘。我今年學十二門課：英語、外語、地理、歷史、數學、科學、美術、體育、戲劇、電腦、音樂和家政。我最喜歡上數學課、美術課和電腦課。我不太喜歡上英語課和外語課。我最不喜歡上歷史課，因爲作業太多。

我每天七點半上學，八點到校，八點二十分開始上課。上午我們有六節課，每兩節課後都有一次課間休息。午飯後再上兩節課，下午三點十分就放學了。

每天放學以後，我都有課外活動。我通常五點半回家。吃完晚飯以後，我先做作業，然後看一會兒電視，有時候玩電腦遊戲。我平時十點半上床睡覺。

Answer the questions.

(1) 王書文今年學多少門課?
wáng shū wén jīn nián xué duō shao mén kè

(2) 她每天上幾節課?
tā měi tiān shàng jǐ jié kè

(3) 她哪天有英語課?
tā nǎ tiān yǒu yīng yǔ kè

(4) 她每周有幾節外語課?
tā měi zhōu yǒu jǐ jié wài yǔ kè

(5) 她星期五下午有什麼課?
tā xīng qī wǔ xià wǔ yǒu shén me kè

(6) 她喜歡上什麼課?
tā xǐ huan shàng shén me kè

(7) 她爲什麼不喜歡上歷史課?
tā wèi shén me bù xǐ huan shàng lì shǐ kè

(8) 她哪天有班會?
tā nǎ tiān yǒu bān huì

(9) 她中午休息多長時間?
tā zhōng wǔ xiū xi duō cháng shí jiān

(10) 她每天放學以後都有課外活動嗎?
tā měi tiān fàng xué yǐ hòu dōu yǒu kè wài huó dòng ma

New Words

1. 十二門課 twelve subjects
shí èr mén kè

2. 課程表 school timetable
kè chéng biǎo

3. 休 stop; rest
xiū

4. 息 stop; rest 休息 rest
xī   xiū xi
課間休息 break (between classes)
kè jiān xiū xi

5. 數（数）number
shù
數學 mathematics
shù xué

6. 術（术）art; skill 美術 art
shù   měi shù

7. 地理 geography
dì lǐ

8. 科 a branch of academic study
kē
科學 science
kē xué

9. 劇（剧）play; drama; opera
jù
戲劇 play; drama
xì jù

10. 外語 foreign languages
wài yǔ

11. 體 body
tǐ

12. 育 give birth to; raise; educate
yù
體育 physical training; sports; PE
tǐ yù

13. 班會 form period
bān huì

14. 政 political affairs
zhèng
家政 home economics
jiā zhèng

15. 以上 more than; the above
yǐ shàng

16. 四十節課 forty periods of lessons
sì shí jié kè

17. 爲什麼 why
wèi shén me

1 🔊 Read aloud the following school subjects.

1. měi shù 美術
2. diàn nǎo 電腦
3. jiā zhèng 家政
4. tǐ yù 體育
5. shù xué 數學
6. kē xué 科學
7. lì shǐ 歷史
8. dì lǐ 地理
9. xì jù 戲劇

2 CD2 T3 Listen to the recording. Tick the subjects you hear for each person.

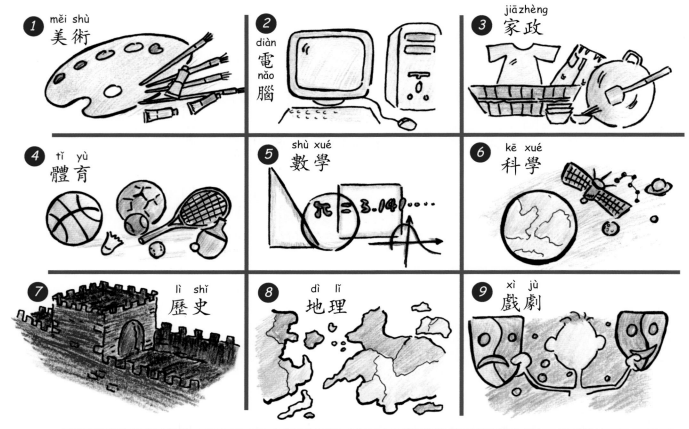

(1) xià xīn jīn nián shàng wǔ nián jí
夏新今年 上五年級。

tā xué qī mén kè　tā xué
他學七門課，他學：

(a) 德語　(f) 音樂

(b) 數學　(g) 英語

(c) 美術　(h) 家政

(d) 電腦　(i) 科學

(e) 體育　(j) 漢語

(2) chéng lóng jīn nián shàng qī nián jí
程龍今年 上七年級。

tā xué jiǔ mén kè　tā xué
他學九門課，他學：

(a) 法語　(g) 戲劇

(b) 中文　(h) 美術

(c) 電腦　(i) 體育

(d) 數學　(j) 科學

(e) 地理　(k) 家政

(f) 歷史　(l) 英語

12

3 Finish the following sentences.

1

měi tiān wǎn shang tā men chī wán
每天晚上他們吃完
wǎn fàn
晚飯<u>就看電視</u>。

jiù
"就" as soon as; as early as; right after; a plan

(a) 他放下書包就跑了。(as soon as)
　　He ran away as soon as he put down his school bag.

(b) 他從小就喜歡唱歌。(as early as)
　　He has liked singing since he was small.

(c) 我看完電影就回家。(a plan; right after)
　　I will go home after the movie.

2

tā měi tiān fàng xué yǐ hòu
她每天放學以後 _____。

3

tā kàn wán diàn yǐng yǐ hòu
他看完電影以後 _____。

4

wǒ mèi mei cóng xiǎo
我妹妹從小

_____。

5

wǒ jiě jie wǔ suì
我姐姐五歲

_____。

謎語 Riddle

tóu dài hóng mào zi
頭戴紅帽子，
shēn chuān huā yī fu
身穿花衣服，
zǎo shang yì qǐ chuáng
早上一起床，
tā jiù kāi shǐ chàng
它就開始唱。

（打一動物）

(a) 日語   (f) 數學   (k) 體育

(b) 歷史   (g) 音樂   (l) 中文

(c) 地理   (h) 美術   (m) 英語

(d) 戲劇   (i) 電腦   (n) 德語

(e) 科學   (j) 家政   (o) 西班牙語

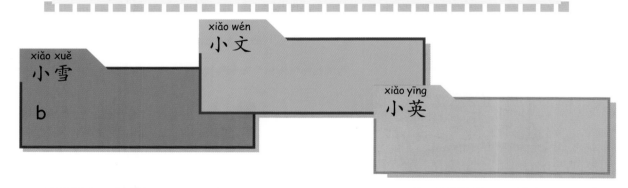

xiǎo wén
小文

xiǎo xuě
小雪

b

xiǎo yīng
小英

5 Interview your partner with similar questions. You can add more if you want to.

nǐ jīn nián shàng jǐ nián jí
(1) 你今年上幾年級？

nǐ jīn nián xué jǐ mén kè
(2) 你今年學幾門課？

nǐ zuì xǐ huan shàng nǎ mén kè
(3) 你最喜歡上哪門課？

nǐ jīn tiān shàng jǐ jié kè
(4) 你今天上幾節課？

nǐ jīn tiān shàng shén me kè
(5) 你今天上什麼課？

nǐ dì yī jié shàng shén me kè
(6) 你第一節上什麼課？

yì jié kè duō cháng shí jiān
(7) 一節課多長時間？

kè jiān yǒu méi yǒu xiū xi
(8) 課間有沒有休息？

zhōng wǔ xiū xi duō cháng shí jiān
(9) 中午休息多長時間？

nǐ men jǐ diǎn fàng xué
(10) 你們幾點放學？

nǐ shén me shí hou huí jiā
(11) 你什麼時候回家？

6 CD2 T5 Listen to the recording. Complete the table below.

	lǐ xiǎo míng 李小明	mǎ wén xīn 馬文新
duō dà le (1) 多大了？	16 歲	
shàng jǐ nián jí (2) 上幾年級？		
jīn nián xué jǐ mén kè (3) 今年學幾門課？		
jīn tiān shàng jǐ jié kè (4) 今天上幾節課？		
dì yī jié shì shén me kè (5) 第一節是什麼課？		
zuì hòu yì jié shì shén me kè (6) 最後一節是什麼課？		
yì jié kè duō cháng shí jiān (7) 一節課多長時間？		
kè jiān xiū xi duō cháng shí jiān (8) 課間休息多長時間？		
zhōng wǔ xiū xi duō cháng shí jiān (9) 中午休息多長時間？		
shàng wǔ shàng jǐ jié kè (10) 上午上幾節課？		
xià wǔ shàng jǐ jié kè (11) 下午上幾節課？		
jǐ diǎn fàng xué (12) 幾點放學？		
nǎ tiān yǒu kè wài huó dòng (13) 哪天有課外活動？		
tōng cháng jǐ diǎn huí jiā (14) 通常幾點回家？		
cān jiā le shén me kè wài huó dòng (15) 參加了什麼課外活動？		

閱 讀（十一） 長江和黃河 CD2 T6

長江全長六千三百多公里，是中
國第一大河，世界第三大河。黃河全長五
千四百多公里，是中國第二大河。黃河又
叫"母親河"，是中
國文化的搖籃。

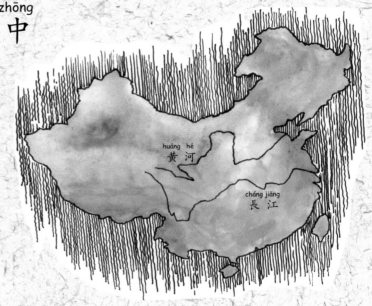

黃河 huáng hé

長江 cháng jiāng

New Words

1. 江 jiāng river
   長江 cháng jiāng the Yangtze River

2. 河 hé river　黃河 huáng hé the Yellow River

3. 全長 quán cháng whole length

4. 百 bǎi hundred

5. 公里 gōng lǐ kilometer

6. 化 huà change; influence; -ize; -ify
   文化 wén huà culture

7. 搖（摇）yáo shake; rock; turn
   搖籃 yáo lán cradle

CD2 T7

1

chūn shèng hé jí měi shì tóng bān tóng
春勝 和吉美是同班同

xué　　tā men jīn nián dōu shàng shí nián jí
學。他們今年都 上十年級。

chūn shèng bù xǐ huan shàng kē xué kè　　tā
春勝不喜歡 上科學課，他

zuì bù xǐ huan shàng wù lǐ kè　　tā jué de
最不喜歡上物理課。他覺得

wù lǐ kè méi yǒu yì si　　yě hěn nán
物理課沒有意思，也很難。

tā xǐ huan xué yǔ yán　　tā huì shuō hàn
他喜歡學語言， 他會說漢

yǔ　yīng yǔ　dé yǔ　fǎ yǔ hé yì diǎnr　rì yǔ　　jí měi duì kē xué hěn
語、英語、德語、法語和一點兒日語。吉美對科學很

gǎn xìng qù　　tā fēi cháng xǐ huan shàng huà xué kè　　tā jué de huà xué hěn róng yì
感興趣。她非常喜歡 上化學課，她覺得化學很容易。

tā zhǎng dà yǐ hòu xiǎng dāng yí ge kē xué jiā
她 長大以後 想 當一個科學家。

2

zhāng lǎo shī jiāo shēng wù hé huà xué　　tā
張老師教 生 物和化學。她

jiāo shū jiāo le èr shí duō nián le　　tā shàng kè
教書教了二十多年了。她上課

shàng de hěn shēng dòng　yǒu qù　tóng xué men dōu
上得很 生 動、有趣，同學們都

xǐ huan shàng tā de kè　　tā duì xué sheng hěn yán
喜歡 上她的課。她對學 生很嚴

gé　tóng shí tā duì xué sheng yòu hěn hǎo　tóng
格，同時她對學 生 又很好。同

xué men dōu shuō tā shì yí ge hǎo lǎo shī
學們都 説她是一個好老師。

89

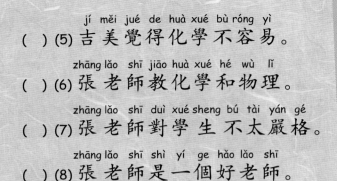

True or false?

( ) (1) chūn shèng duì yǔ yán gǎn xìng qù
春勝對語言感興趣。

( ) (2) jí měi duì kē xué gǎn xìng qù
吉美對科學感興趣。

( ) (3) chūn shèng huì shuō wǔ zhǒng yǔ yán
春勝會說五種語言。

( ) (4) jí měi yǐ hòu xiǎng dāng yí ge
吉美以後想當一個
yǔ yán xué jiā
語言學家。

( ) (5) jí měi jué de huà xué bù róng yì
吉美覺得化學不容易。

( ) (6) zhāng lǎo shī jiāo huà xué hé wù lǐ
張老師教化學和物理。

( ) (7) zhāng lǎo shī duì xué sheng bú tài yán gé
張老師對學生不太嚴格。

( ) (8) zhāng lǎo shī shì yí ge hǎo lǎo shī
張老師是一個好老師。

New Words

1 化學 huà xué chemistry

2 物理 wù lǐ physics

3 覺得 jué de feel; think

4 意 yì meaning; idea

5 思 sī think　意思 yì si meaning
有意思 yǒu yì si meaningful; interesting
沒有意思 méi yǒu yì si boring

6 難（难）nán difficult

7 對（对）duì to; correct
對……（很）好 duì …… (hěn) hǎo nice to

8 感 gǎn feel; sense

9 興（兴）xìng mood or desire to do sth; interest

10 趣 qù interest　有趣 yǒu qù interesting
興趣 xìng qù interest
對……感興趣 duì …… gǎn xìng qù be interested in

11 容 róng hold; facial expression

12 易 yì easy　容易 róng yì easy

13 當（当）dāng work as; be

14 科學家 kē xué jiā scientist

15 教 jiāo teach　教書 jiāo shū teach

16 生物 shēng wù biology

17 生動 shēng dòng lively; vivid

18 嚴（严）yán tight; strict　嚴格 yán gé strict
對……嚴格 duì …… yán gé be strict with

19 同時 tóng shí at the same time

90

1 Match the pictures with the words in the box.

shù xué (a) 數學	wù lǐ (b) 物理	huà xué (c) 化學
shēng wù (d) 生物	dì lǐ (e) 地理	xì jù (f) 戲劇
jiā zhèng (g) 家政	yīn yuè (h) 音樂	tǐ yù (i) 體育
měi shù (j) 美術	diàn nǎo (k) 電腦	lì shǐ (l) 歷史

2 Circle the correct pinyin.

(1) 覺得   (a) jiàodé   (b) juéde   (5) 意思   (a) yìsi   (b) yìshi

(2) 興趣   (a) xìngqù   (b) xìnqu   (6) 教   (a) jiāo   (b) giāo

(3) 嚴格   (a) yánggé   (b) yángé   (7) 當   (a) dāng   (b) dān

(4) 容易   (a) lóngyì   (b) róngyì   (8) 難   (a) nán   (b) náng

3 Give comments on the subjects and teachers. Use the words in the box.

(1) 數學：難 shù xué nán

(2) 地理： dì lǐ

(3) 外語： wài yǔ

(4) 歷史老師： lì shǐ lǎo shī

(5) 數學老師： shù xué lǎo shī

(6) 生物： shēng wù

(7) 化學： huà xué

(8) 電腦： diàn nǎo

(9) 體育老師： tǐ yù lǎo shī

(10) 英文老師： yīng wén lǎo shī

(11) 物理： wù lǐ

(12) 家政： jiā zhèng

(13) 美術老師： měi shù lǎo shī

(14) 戲劇： xì jù

(15) 歷史： lì shǐ

(a) 感興趣 gǎn xìng qù　(b) 有趣 yǒu qù　(c) 有意思 yǒu yì si　(d) 没有意思 méi yǒu yì si　(e) 難 nán　(f) 容易 róng yì

(g) 嚴格 yán gé　(h) 不嚴格 bù yán gé　(i) 上課生動 shàng kè shēng dòng　(j) 對學生很好 duì xué sheng hěn hǎo

4 Answer the following questions.

(1) 你覺得哪門課有趣？ nǐ jué de nǎ mén kè yǒu qù

(2) 你覺得哪門課没有意思？ nǐ jué de nǎ mén kè méi yǒu yì si

(3) 你覺得哪門課容易？ nǐ jué de nǎ mén kè róng yì

(4) 你覺得哪門課難？ nǐ jué de nǎ mén kè nán

(5) 你覺得哪個老師上課上得好？ nǐ jué de nǎ ge lǎo shī shàng kè shàng de hǎo

(6) 你喜歡上什麽課？ nǐ xǐ huan shàng shén me kè

(7) 你今年學幾門課？ nǐ jīn nián xué jǐ mén kè

(8) 你今天上什麽課？ nǐ jīn tiān shàng shén me kè

(9) 你以後想去哪兒上大學？ nǐ yǐ hòu xiǎng qù nǎr shàng dà xué

(10) 在大學裏你想學什麽？ zài dà xué li nǐ xiǎng xué shén me

(11) 你以後想做什麽工作？ nǐ yǐ hòu xiǎng zuò shén me gōng zuò

(12) 你以後想去哪兒工作？ nǐ yǐ hòu xiǎng qù nǎr gōng zuò

5 CD2 T8 Listen to the recording. Choose the right answer.

jiā wén jīn nián shí liù suì　　shàng
(1) 家文今年十六歲，上＿＿＿＿。

   (a) 十一年級　　(b) 十年級

   (c) 十二年級

tā　jīn nián xué
(2) 她今年學＿＿＿＿。

   (a) 十一門課　　(b) 十二門課

   (c) 十三門課

tā　jīn nián xué　　　　　děng kè chéng
(3) 她今年學＿＿＿＿等課程。

   (a) 歷史、家政、數學、戲劇

   (b) 歷史、數學、化學、英語

   (c) 音樂、體育、生物、物理

tā　jué de　lì　shǐ kè
(4) 她覺得歷史課＿＿＿＿。

   (a) 容易　　(b) 難　　(c) 有意思

tā　xǐ huan shàng shù xué kè　　　yīn wèi
(5) 她喜歡 上數學課，因爲＿＿＿＿。

   (a) 數學老師上課上得很好

   (b) 數學老師對學生很好

   (c) 數學老師不太嚴格

tā　bù　xǐ huan shàng huà xué kè　　　yīn wèi
(6) 她不喜歡 上化學課，因爲＿＿＿＿。

   (a) 化學老師太嚴格

   (b) 她不明白老師說的話

   (c) 她不喜歡化學老師

tā　jué de yīng yǔ
(7) 她覺得英語＿＿＿＿。

   (a) 很有用　　(b) 難學　　(c) 很有趣

tā　cān jiā　le　xué xiào de
(8) 她參加了學校的＿＿＿＿。

   (a) 數學興趣班　　(b) 物理興趣班

   (c) 書法興趣班

6 Finish the following phrases.

huà
(1) 化＿學

dì
(2) 地＿＿

wù
(3) 物＿＿

róng
(4) 容＿＿

gǎn xìng
(5) 感興＿＿

yán
(6) 嚴＿＿

shēng
(7) 生＿＿

yīng
(8) 英＿＿

xì
(9) 戲＿＿

shù
(10) 數＿＿

jiā
(11) 家＿＿

měi
(12) 美＿＿

	xǐ huan 喜歡	bù xǐ huan 不喜歡	nán 難	róng yì 容易	yǒu yì si 有意思	méi yǒu yì si 沒有意思	shēng dòng / yǒu qù 生動、有趣	bù hǎo 不好
kē xué 科學	最			✓	✓		✓	
xì jù 戲劇		不太	✓			✓		✓
shù xué 數學								
lì shǐ 歷史								
dì lǐ 地理								
tǐ yù 體育								
yīn yuè 音樂								
měi shù 美術								
diàn nǎo 電腦								

Report: 他最喜歡上科學課。他覺得科學容易學。科學課也很有意思，因為科學老師上課生動、有趣。⋯⋯

閱 讀（十二） 京 劇

dàn
旦

jīng jù shì zhōng guó de　　guó jù
京劇是中國的 "國劇"。

jīng jù de lì shǐ bù cháng　　zhǐ yǒu yì bǎi duō
京劇的歷史不長，只有一百多

nián　jīng jù zhōng de jué sè zhǔ yào yǒu shēng
年。京劇中 的 角色主要有 生、

dàn　　jìng　　chǒu sì dà lèi
旦、淨、丑四大類。

shēng
生

jìng
淨

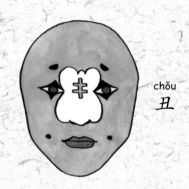

chǒu
丑

New Words

① jīng jù
京劇 Beijing opera

② guó jù
國劇 popular traditional opera of a country

③ zhǐ yǒu
只有 only

④ jué
角 role; character　jué sè 角色 role

⑤ shēng
生 male role in traditional opera

⑥ dàn
旦 female character type in traditional opera

⑦ jìng
淨（净）"painted face", a character type in traditional opera; clean

⑧ chǒu
丑〔醜〕clown; comedian; ugly

⑨ lèi
類（类）kind; type; category

95

CD2 T10

1

lǐ tián cóng lái bú pà kǎo shì　yīn wèi měi tiān
李田從來不怕考試，因爲每天

fàng xué yǐ hòu tā dōu fù xí gōng kè　zuò zuò yè
放學以後他都複習功課、做作業。

tā měi tiān zuò gōng kè zuò dào wǎn shang shí yī diǎn
他每天做功課做到晚上十一點。

tā měi cì kǎo shì dōu kǎo de hěn hǎo
他每次考試都考得很好。

2

zhāng guó lì píng shí xué xí bú tài yòng gōng　dàn
張國力平時學習不太用功，但

shì kǎo shì de shí hou tā zǒng shì dé gāo fēn　zhè cì diàn
是考試的時候他總是得高分。這次電

nǎo kǎo shì　tā dé le　fēn　tā fēi cháng dé yì
腦考試，他得了98分。他非常得意。

3

wáng xīn měi píng shí xué xí hěn yòng gōng　dàn
王新美平時學習很用功，但

shì měi cì kǎo shì tā dōu kǎo de bù hǎo　zhè cì
是每次考試她都考得不好。這次

shù xué kǎo shì　tā dé le　fēn　jí gé le
數學考試，她得了65分，及格了。

tā hěn gāo xìng
她很高興。

4

tián dà shēng píng shí xué xí bú yòng gōng　jīng cháng bú
田大生平時學習不用功，經常不

zuò zuò yè　tā kǎo shì yǐ qián yě bú fù xí　suǒ yǐ měi
做作業。他考試以前也不複習，所以每

cì kǎo shì dōu bù jí gé　zuì jìn yí cì shù xué kǎo shì tā
次考試都不及格。最近一次數學考試他

dé le　fēn　yòu bù jí gé
得了26分，又不及格。

（ ）(1) lǐ tián zuì pà kǎo shì
李田最怕考試。

（ ）(2) lǐ tián xué xí fēi cháng yòng gōng
李田學習非常用功。

（ ）(3) zhāng guó lì xué xí bú yòng gōng
張國力學習不用功，
dàn shì kǎo shì kǎo de hǎo
但是考試考得好。

（ ）(4) zhè cì diàn nǎo kǎo shì zhāng guó
這次電腦考試，張國
lì kǎo de fēi cháng hǎo
力考得非常好。

（ ）(5) wáng xīn měi xué xí bú yòng gōng
王新美學習不用功。

（ ）(6) wáng xīn měi zhè cì shù xué kǎo shì yòu bù jí gé
王新美這次數學考試又不及格。

（ ）(7) tián dà shēng cóng lái bù xué xí yě bú
田大生從來不學習，也不
zuò zuò yè
做作業。

（ ）(8) tián dà shēng kǎo shì yǒu shí hou jí gé
田大生考試有時候及格，
yǒu shí hou bù jí gé
有時候不及格。

New Words

❶ pà
怕 fear; be afraid of

❷ kǎo
考 give or take an examination; test or quiz

❸ shì
試（试）try; test kǎo shì 考試 examination; test

❹ fù
複〔復，覆〕（复）duplicate; recover; answer; again

❺ xí
習（习）practice; exercise
fù xí 複習 review; revise xué xí 學習 study; learn

❻ gōng
功 skill; merit
gōng kè 功課 school work; homework
yòng gōng 用功 hardworking; diligent

❼ dé fēn
得……分 score

❽ dé yì
得意 proud of oneself

❾ jí
及 reach; and
jí gé 及格 pass a test, examination
bù jí gé 不及格 fail a test, examination

❿ gāo xìng
高興 happy; cheerful

⓫ qián
前 front; before; former; first
yǐ qián 以前 before

⓬ jìn
近 near; close
zuì jìn 最近 recently

1

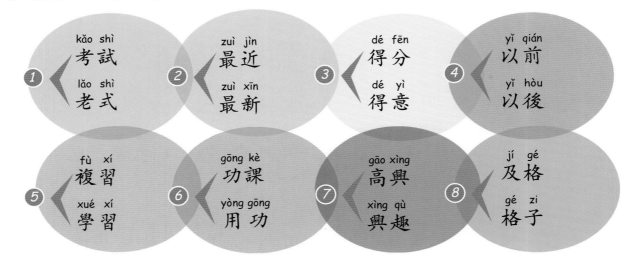

1 ◀ kǎo shì 考試 / lǎo shì 老式

2 ◀ zuì jìn 最近 / zuì xīn 最新

3 ◀ dé fēn 得分 / dé yì 得意

4 ◀ yǐ qián 以前 / yǐ hòu 以後

5 ◀ fù xí 複習 / xué xí 學習

6 ◀ gōng kè 功課 / yòng gōng 用功

7 ◀ gāo xìng 高興 / xìng qù 興趣

8 ◀ jí gé 及格 / gé zi 格子

2

Do a survey. Ask the following questions.

考試   複習功課   漢語考試

得高分   做作業   學習用功

	同學1	同學2	同學3
nǐ jīng cháng yǒu kǎo shì ma (1) 你經常有考試嗎?			
nǐ pà bú pà kǎo shì (2) 你怕不怕考試?			
nǐ kǎo shì jīng cháng dé gāo fēn ma (3) 你考試經常得高分嗎?			
nǐ kǎo shì qián fù xí gōng kè ma (4) 你考試前複習功課嗎?			
nǐ měi tiān zuò jǐ ge xiǎo shí de zuò yè (5) 你每天做幾個小時的作業?			
nǐ shàng cì hàn yǔ kǎo shì dé le duō shao fēn (6) 你上次漢語考試得了多少分?			
nǐ jué de nǐ xué xí yòng gōng ma (7) 你覺得你學習用功嗎?			

98

3 CD2 T11　Listen to the recording. Choose the right answer.

①

(1) 温 羽 西 昨 天 考 了
_{wēn yǔ xī zuó tiān kǎo le}
_____。

　(a) 數學　(b) 科學

　(c) 英語

(2) 她 説 她 考 得 _____，
_{tā shuō tā kǎo de}

　(a) 很好　(b) 不錯

　(c) 不好

因 爲 _____。
_{yīn wèi}

　(a) 不難　(b) 很難

　(c) 沒有複習

(3) 她 得 了 _____ 分。
_{tā dé le　　fēn}

　(a) 96　(b) 86　(c) 65

②

(1) 王 鍾 明 昨 天 考 了
_{wáng zhōng míng zuó tiān kǎo le}
_____。

　(a) 電腦　(b) 地理

　(c) 戲劇

(2) 他 説 他 考 得 _____，
_{tā shuō tā kǎo de}

　(a) 不太好　(b) 不錯

　(c) 很好

因 爲 _____。
_{yīn wèi}

　(a) 容易　(b) 難

　(c) 沒有複習

(3) 他 得 了 _____ 分。
_{tā dé le　　fēn}

　(a) 45　(b) 54　(c) 58

③

(1) 張 東 興 昨 天 考 了
_{zhāng dōng xīng zuó tiān kǎo le}
_____。

　(a) 化學　(b) 英語

　(c) 音樂

(2) 他 説 他 考 得 _____，
_{tā shuō tā kǎo de}

　(a) 太好了　(b) 不錯

　(c) 很不好

因 爲 _____。
_{yīn wèi}

　(a) 很容易　(b) 很難

　(c) 複習了一個星期

(3) 他 得 了 _____ 分。
_{tā dé le　　fēn}

　(a) 86　(b) 46　(c) 34

4 Translation.

(1) diàn yǐng liù diǎn bàn kāi shǐ. wǒ liù diǎn jiù kāi
電影六點半開始。我六點就開
shǐ zài diàn yǐng yuàn mén kǒu děng xiǎo fāng, děng dào
始在電影院門口等小方,等到
liù diǎn èr shí wǔ fēn tā hái méi yǒu lái。
六點二十五分她還没有來。

(2) huà rén wù huà hěn nán。 wǒ xué le sān nián
畫人物畫很難。我學了三年
le, dào xiàn zài wǒ hái huà bù hǎo。
了,到現在我還畫不好。

(3) wú xiān sheng zài xiāng gǎng zhù le wǔ nián le,
吳先生在香港住了五年了,
dàn shì dào xiàn zài tā zhǐ néng tīng guǎng dōng huà,
但是到現在他只能聽廣東話,
bú huì shuō。
不會說。

NOTE

"……到……" up until
dào
考試前一天他複習到很晚。
The night before the exam, he revised until very late.

(4) dào jīn nián liù yuè wǒ kě yǐ kǎo wán suǒ
到今年六月我可以考完所
yǒu de kǎo shì。
有的考試。

(5) wǒ měi tiān wǎn shang yí jiào shuì dào tiān liàng
我每天晚上一覺睡到天亮。

5 CD2 T12 Listen to the recording. Fill in the blanks with the words in the box.

fāng yuán jīn nián shàng____nián jí。tā zài yì suǒ
方圓今年上____年級。她在一所
xué xiào shàng xué。 tā jīn nián xué____mén kè, tā
____學校上學。她今年學____門課,它
men shì____、dé yǔ、shù xué、____、shēng wù、____、
們是____、德語、數學、____、生物、____、
dì lǐ、xì jù、____、tǐ yù、____ hé jiā zhèng。
地理、戲劇、____、體育、____和家政。
tā měi xīng qī dōu yǒu kǎo shì。tā píng shí____hěn yòng
她每星期都有考試。她平時____很用
gōng, kǎo shì qián yì xīng qī tā jiù____fù xí le。kǎo
功,考試前一星期她就____複習了。考
shì qián yì tiān wǎn shang tā zǒng shì fù xí dào____。tā
試前一天晚上她總是複習到____。她
____kǎo shì,yīn wèi měi cì kǎo shì tā dōu néng dé____。
____考試,因為每次考試她都能得____。
shàng xīng qī wǔ tā men kǎo le____,tā dé le____
上星期五他們考了____,她得了____
fēn,tā gǎn dào fēi cháng gāo xìng
分,她感到非常高興。

(a) 十一 (b) 英語 (c) 開始

(d) 音樂 (e) 98 (f) 化學

(g) 不怕 (h) 數學 (i) 德文

(j) 電腦 (k) 十二 (l) 學習

(m) 高分 (n) 很晚 (o) 物理

第五單元　學校

第十五課　她們學校不大也不小

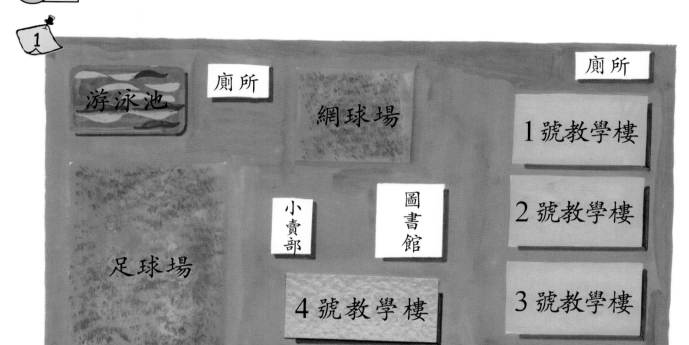

游泳池　廁所　網球場　廁所

1號教學樓

2號教學樓

3號教學樓

小賣部　圖書館

足球場　4號教學樓

正門

zhè shì huáng bīng de xué xiào　　tā men xué xiào bú dà yě bù xiǎo
這是黃冰的學校。她們學校不大也不小。

xué xiào yǒu yí ge zú qiú chǎng　yí ge wǎng qiú chǎng　yí ge yóu yǒng chí
學校有一個足球場、一個網球場、一個游泳池、

yí ge xiǎo mài bù　　yí ge tú shū guǎn hé hǎo jǐ ge cè suǒ　xué xiào
一個小賣部、一個圖書館和好幾個廁所。學校

hái yǒu sì zhuàng jiào xué lóu　jiào shī bàn gōng shì zài　hào jiào xué lóu　quán xiào yí gòng yǒu
還有四幢教學樓，教師辦公室在4號教學樓。全校一共有750

ge xué sheng　　duō ge lǎo shī　　chū yī dào chū sān yǒu　　ge xué sheng　gāo yī dào gāo sān
個學生，60多個老師。初一到初三有450個學生，高一到高三

yǒu　　ge xué sheng huáng bīng hěn xǐ huan tā de xué xiào　lǎo shī hé tóng xué dōu duì tā hěn hǎo
有300個學生。黃冰很喜歡她的學校，老師和同學都對她很好。

101

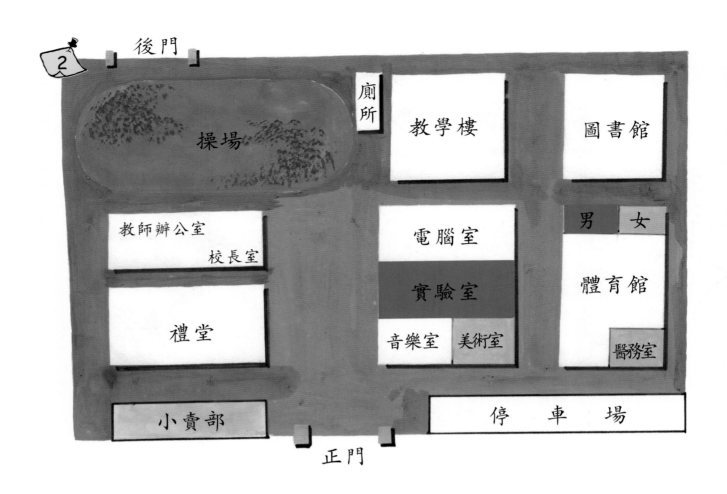

zhōu xuě qín zài yì suǒ fǎ wén zhōng xué shàng xué zhè suǒ xué
周雪琴在一所法文中學上學。這所學

xiào zhǐ yǒu duō ge xué sheng bú dào ge lǎo shī tā de xué
校只有350多個學生，不到30個老師。她的學

xiào bù xiǎo yǒu cāo chǎng tǐ yù guǎn jiào xué lóu lǐ táng tú
校不小，有操場、體育館、教學樓、禮堂、圖

shū guǎn xiǎo mài bù diàn nǎo shì shí yàn shì yī wù shì yīn
書館、小賣部、電腦室、實驗室、醫務室、音

yuè shì měi shù shì xiào zhǎng shì děng děng zhè suǒ xué xiào yǒu yí ge zhèng mén yí ge
樂室、美術室、校長室等等。這所學校有一個正門、一個

hòu mén hái yǒu yí ge tíng chē chǎng
後門，還有一個停車場。

zhōu xuě qín jīn nián shàng bā nián jí tā hěn xǐ huan tā de xué xiào
周雪琴今年上八年級。她很喜歡她的學校。

True or false?

( )(1) huáng bīng de xué xiào yǒu ___ ge xué sheng
黃冰的學校有750個學生。

( )(2) huáng bīng de xué xiào yǒu yí ge dà cāo chǎng
黃冰的學校有一個大操場。

( )(3) huáng bīng de xué xiào méi yǒu tǐ yù guǎn
黃冰的學校沒有體育館。

( )(4) zhōu xuě qín de xué xiào shì yīng wén xué xiào
周雪琴的學校是英文學校。

( )(5) zhōu xuě qín de xué xiào zhǐ yǒu zhèng mén
周雪琴的學校只有正門。

( )(6) zhōu xuě qín de xué xiào méi yǒu tíng chē chǎng
周雪琴的學校沒有停車場。

New Words

1 chǎng
場（场）a place where people gather
zú qiú chǎng
足球場 football pitch

2 chí
池 pool; pond
yóu yǒng chí
游泳池 swimming pool

3 mài
賣（卖）sell

4 bù
部 section; department; measure word
xiǎo mài bù
小賣部 tuck shop

5 tú
圖（图）picture; map
tú shū
圖書 books

6 guǎn
館（馆）a place for cultural activities
tú shū guǎn
圖書館 library
tǐ yù guǎn
體育館 gymnasium

7 cè
廁（厕）toilet
cè suǒ
廁所 toilet; washroom

8 zhuàng
幢 measure word for buildings

9 lóu
樓（楼）multi-storey building; floor
jiào xué lóu
教學樓 classroom block

10 bàn
辦（办）do
bàn gōng
辦公 work (in an office)

11 shì
室 room
bàn gōng shì
辦公室 office

12 chū yī
初一（初中一年級）
chū zhōng yī nián jí
grade one in junior high school

13 gāo yī
高一 grade one in senior high school

14 bú dào
不到 less than

15 cāo
操 drill; exercise
cāo chǎng
操場 playground; sports ground

16 lǐ
禮（礼）ceremony

17 táng
堂 hall
lǐ táng
禮堂 assembly hall

18 shí
實（实）solid; true; fact

19 yàn
驗（验）examine
shí yàn shì
實驗室 laboratory

20 yī wù shì
醫務室（校醫室）
xiào yī shì
medical room

21 xiào zhǎng shì
校長室 the principal's office

22 zhèng mén
正門 main entrance
hòu mén
後門 back door

23 tíng
停 stop
tíng chē chǎng
停車場 car park

1 🔊 Read aloud.

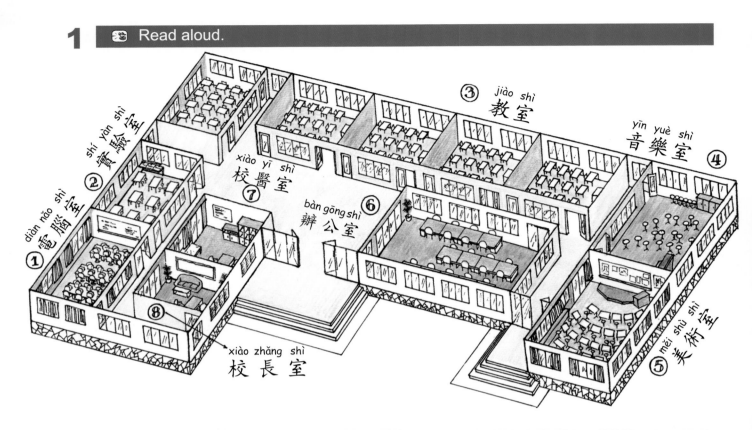

- ① diàn nǎo shì 電腦室
- ② shí yàn shì 實驗室
- ③ jiào shì 教室
- ④ yīn yuè shì 音樂室
- ⑤ měi shù shì 美術室
- ⑥ bàn gōng shì 辦公室
- ⑦ xiào yī shì 校醫室
- ⑧ xiào zhǎng shì 校長室

2 Match the Chinese with the places.

- (a) zú qiú chǎng 足球場
- (b) wǎng qiú chǎng 網球場
- (c) yóu yǒng chí 游泳池
- (d) tú shū guǎn 圖書館
- (e) cāo chǎng 操場
- (f) tǐ yù guǎn 體育館
- (g) lǐ táng 禮堂
- (h) tíng chē chǎng 停車場
- (i) xiǎo mài bù 小賣部
- (j) cè suǒ 廁所

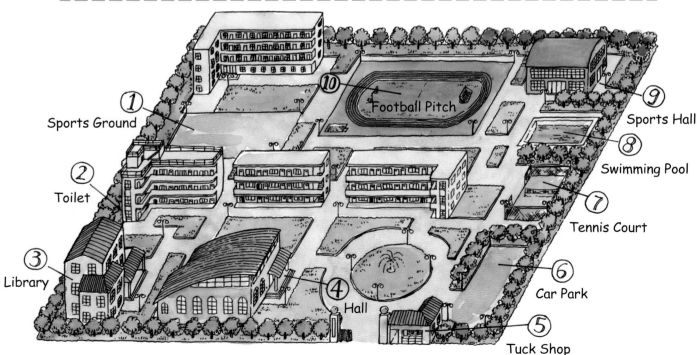

① Sports Ground
② Toilet
③ Library
④ Hall
⑤ Tuck Shop
⑥ Car Park
⑦ Tennis Court
⑧ Swimming Pool
⑨ Sports Hall
⑩ Football Pitch

3 CD2 T14 Listen to the recording. Circle the right answer.

wǒ men xué xiào yǒu sān zhuàng
(1) 我們學校有三幢＿＿＿。

(a) 辦公室 (b) 教學樓 (c) 禮堂

wǒ men xué xiào yǒu liǎng ge
(4) 我們學校有兩個＿＿＿。

(a) 電腦室 (b) 美術室 (c) 音樂室

wǒ men xué xiào yǒu bú dào　　ge xué sheng
(2) 我們學校有不到＿＿＿個學生。

(a) 八百 (b) 一千 (c) 九百

wǒ men xué xiào yǒu yí ge
(5) 我們學校有一個＿＿＿。

(a) 小賣部 (b) 停車場 (c) 廁所

wǒ men xué xiào yǒu　　duō ge lǎo shī
(3) 我們學校有＿＿＿多個老師。

(a) 七十 (b) 八十 (c) 九十

wǒ men xué xiào yǒu yí ge
(6) 我們學校有一個＿＿＿。

(a) 游泳池 (b) 禮堂 (c) 圖書館

4 Name the places in Chinese.

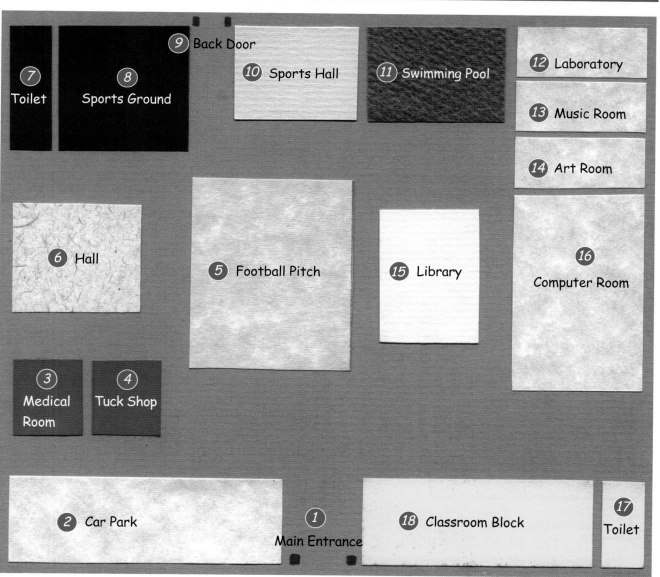

7 Toilet
8 Sports Ground
9 Back Door
10 Sports Hall
11 Swimming Pool
12 Laboratory
13 Music Room
14 Art Room
6 Hall
5 Football Pitch
15 Library
16 Computer Room
3 Medical Room
4 Tuck Shop
2 Car Park
1 Main Entrance
18 Classroom Block
17 Toilet

5 | Match the Chinese with the people.

lǎo shī   jiào shī   gōng chéng shī   yī shēng   jiā tíng jiào shī   lǐ fa shī   lǜ shī
(a) 老師/教師 (b) 工程師 (c) 醫生 (d) 家庭教師 (e) 理髮師 (f) 律師

6 | Make new dialogues with your partner.

Example

lǐ lǎo shī zài nǎr
李老師在哪兒?

zài tā de bàn gōng shì
在他的辦公室。

tā de bàn gōng shì zài nǎr
他的辦公室在哪兒?

zài bàn gōng lóu de wǔ lóu   shì
在辦公樓的五樓, 502 室。

kè chéng lǎo shī 課程老師	bàn gōng shì 辦公室
lǐ lǎo shī shù xué (1) 李老師 (數學)	bàn gōng lóu shì 辦公樓, 502 室
wáng lǎo shī yīng yǔ (2) 王老師 (英語)	jiào xué lóu shì 教學樓, 201 室
zhāng lǎo shī kē xué (3) 張老師 (科學)	shí yàn lóu shì 實驗樓, 105 室
wēn lǎo shī diàn nǎo (4) 溫老師 (電腦)	diàn nǎo fáng 407, 電腦房
zhōu lǎo shī yīn yuè (5) 周老師 (音樂)	yīn yuè shì 302, 音樂室

閱 讀（十三） 孔 子

<ruby>孔<rt>kǒng</rt></ruby> <ruby>子<rt>zǐ</rt></ruby> <ruby>生<rt>shēng</rt></ruby> <ruby>於<rt>yú</rt></ruby> <ruby>公<rt>gōng</rt></ruby> <ruby>元<rt>yuán</rt></ruby> <ruby>前<rt>qián</rt></ruby> <ruby>年<rt>nián</rt></ruby>
孔子生於公元前551年，

<ruby>死<rt>sǐ</rt></ruby> <ruby>於<rt>yú</rt></ruby> <ruby>公<rt>gōng</rt></ruby> <ruby>元<rt>yuán</rt></ruby> <ruby>前<rt>qián</rt></ruby> <ruby>年<rt>nián</rt></ruby> <ruby>他<rt>tā</rt></ruby> <ruby>是<rt>shì</rt></ruby> <ruby>中<rt>zhōng</rt></ruby> <ruby>國<rt>guó</rt></ruby>
死於公元前479年。他是中國

<ruby>歷<rt>lì</rt></ruby> <ruby>史<rt>shǐ</rt></ruby> <ruby>上<rt>shang</rt></ruby> <ruby>最<rt>zuì</rt></ruby> <ruby>偉<rt>wěi</rt></ruby> <ruby>大<rt>dà</rt></ruby> <ruby>的<rt>de</rt></ruby> <ruby>思<rt>sī</rt></ruby> <ruby>想<rt>xiǎng</rt></ruby> <ruby>家<rt>jiā</rt></ruby> <ruby>和<rt>hé</rt></ruby> <ruby>教<rt>jiào</rt></ruby>
歷史上最偉大的思想家和教

<ruby>育<rt>yù</rt></ruby> <ruby>家<rt>jiā</rt></ruby> <ruby>孔<rt>kǒng</rt></ruby> <ruby>子<rt>zǐ</rt></ruby> <ruby>一<rt>yì</rt></ruby> <ruby>生<rt>shēng</rt></ruby> <ruby>教<rt>jiāo</rt></ruby> <ruby>過<rt>guo</rt></ruby> <ruby>個<rt>ge</rt></ruby>
育家。孔子一生教過3000個

<ruby>弟<rt>dì</rt></ruby> <ruby>子<rt>zǐ</rt></ruby> <ruby>其<rt>qí</rt></ruby> <ruby>中<rt>zhōng</rt></ruby> <ruby>個<rt>ge</rt></ruby> <ruby>弟<rt>dì</rt></ruby> <ruby>子<rt>zǐ</rt></ruby> <ruby>很<rt>hěn</rt></ruby> <ruby>有<rt>yǒu</rt></ruby> <ruby>作<rt>zuò</rt></ruby>
弟子，其中72個弟子很有作

<ruby>爲<rt>wéi</rt></ruby>
爲。

New Words

1. <ruby>孔<rt>kǒng</rt></ruby> hole; surname
   <ruby>孔子<rt>kǒng zǐ</rt></ruby> Confucius (551 B.C.- 479 B.C.)

2. <ruby>於<rt>yú</rt></ruby>（于） in; at; on

3. <ruby>元<rt>yuán</rt></ruby> first; unit
   <ruby>公元<rt>gōng yuán</rt></ruby> the Christian era
   <ruby>公元前<rt>gōng yuán qián</rt></ruby> B.C.

4. <ruby>死<rt>sǐ</rt></ruby> die

5. <ruby>偉<rt>wěi</rt></ruby>（伟） big; great　<ruby>偉大<rt>wěi dà</rt></ruby> great; mighty

6. <ruby>思想家<rt>sī xiǎng jiā</rt></ruby> thinker

7. <ruby>教育家<rt>jiào yù jiā</rt></ruby> educationist

8. <ruby>一生<rt>yì shēng</rt></ruby> all one's life

9. <ruby>弟子<rt>dì zǐ</rt></ruby> follower, disciple

10. <ruby>其<rt>qí</rt></ruby> he; she; it; they
    <ruby>其中<rt>qí zhōng</rt></ruby> among (which)

11. <ruby>作爲<rt>zuò wéi</rt></ruby> accomplishment
    <ruby>有作爲<rt>yǒu zuò wéi</rt></ruby> accomplished

第十六課　校園不大，但是很美

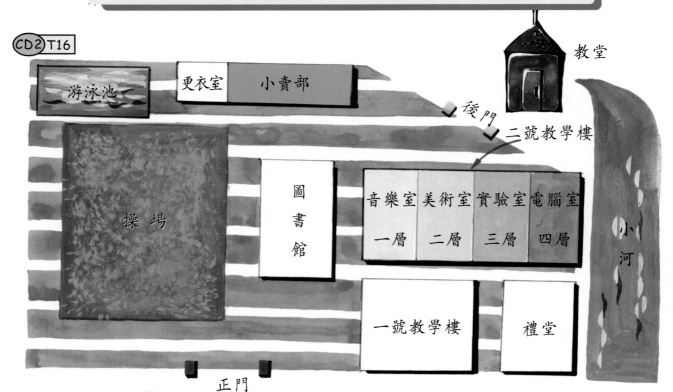

CD2 T16

游泳池　更衣室　小賣部

教堂

後門　二號教學樓

圖書館

音樂室　美術室　實驗室　電腦室
一層　二層　三層　四層

操場

小河

一號教學樓　禮堂

正門

kǒng qiū yuè zài yì suǒ yīng wén xué xiào shàng xué　xué xiào lí tā
孔秋月在一所英文學校上學。學校離她

jiā bù yuǎn　jiù zài fù jìn　zǒu lù wǔ fēn zhōng jiù dào le　tā de
家不遠，就在附近，走路五分鐘就到了。她的

xué xiào xiào yuán bú dà　dàn shì hěn měi
學校校園不大，但是很美。

yì zǒu jìn xiào mén　jiù kě yǐ kàn dào tú shū guǎn　tú shū guǎn yí gòng yǒu wǔ céng　tú
一走進校門，就可以看到圖書館。圖書館一共有五層。圖

shū guǎn de zuǒ miàn shì cāo chǎng　yóu yǒng chí zài cāo chǎng de hòu mian　yóu yǒng chí de yòu bian shì
書館的左面是操場。游泳池在操場的後面。游泳池的右邊是

gēng yī shì hé xiǎo mài bù　gēng yī shì zài xiǎo mài bù de gé bì　xué xiào zhèng mén yòu miàn shì
更衣室和小賣部。更衣室在小賣部的隔壁。學校正門右面是

yī hào jiào xué lóu　yī hào jiào xué lóu gòng yǒu wǔ céng　yǒu sān shí ge jiào shì　yī hào jiào xué
一號教學樓。一號教學樓共有五層，有三十個教室。一號教學

lóu páng biān shì dà lǐ táng　duì miàn shì èr hào jiào xué lóu　èr hào jiào xué lóu gòng yǒu sì céng
樓旁邊是大禮堂，對面是二號教學樓。二號教學樓共有四層：

yī lóu shì yīn yuè shì　èr lóu shì měi shù shì　sān lóu shì shí yàn shì　sì lóu shì diàn nǎo shì
一樓是音樂室，二樓是美術室，三樓是實驗室，四樓是電腦室。

xué xiào hòu mén wài mian hái yǒu yí zuò jiào táng hé　yì tiáo xiǎo hé
學校後門外面還有一座教堂和一條小河。

108

True or false?

( )(1) kǒng qiū yuè de xué xiào shì yì suǒ fǎ wén
孔秋月的學校是一所法文

xué xiào
學校。

( )(2) kǒng qiū yuè de xué xiào lí tā jiā hěn yuǎn
孔秋月的學校離她家很遠。

( )(3) kǒng qiū yuè zuò xiào chē shàng xué
孔秋月坐校車上學。

( )(4) xué xiào tú shū guǎn yǒu wǔ céng gāo
學校圖書館有五層高。

( )(5) xué xiào yǒu yí ge yóu yǒng chí
學校有一個游泳池。

( )(6) xué xiào wài miàn yǒu yí zuò jiào táng
學校外面有一座教堂。

( )(7) xué xiào de zuǒ miàn yǒu yì tiáo hé
學校的左面有一條河。

( )(8) èr hào jiào xué lóu gòng yǒu sì céng
二號教學樓共有四層，

diàn nǎo shì zài zuì gāo céng
電腦室在最高層。

New Words

1 yuán
園（园） an area of land for growing fruit; a public place

xiào yuán
校園 school campus

2 lí
離（离） distance from

3 yuǎn
遠（远） far

4 fù
附 add; be near; attach

fù jìn
附近 nearby; neighbouring

5 jìn
進（进） enter; advance

6 céng
層（层） layer; storey

yī céng ／ yī lóu
一層／一樓 the first floor

7 miàn
面 face; side; flour

zuǒ miàn
左面 left side

yòu miàn
右面 right side

duì miàn   hòu mian
對面 opposite   後面 back

8 gēng yī shì
更衣室 changing room

9 gé
隔 separate

10 bì   gé bì
壁 wall   隔壁 next door

11 páng   páng biān
旁 side   旁邊 side

12 zuò
座 seat; measure word

13 jiào táng
教堂 church

shàng mian　xià mian　zuǒ miàn　yòu miàn　duì miàn
上　面　下　面　左　面　右　面　對　面

qián mian　hòu mian　lǐ miàn　wài mian　páng biān
前　面　後　面　裏　面　外　面　旁　邊

NOTE

1. bian biān "邊"、miàn "面" can be used with

shàng xià zuǒ yòu lǐ wài
"上、下、左、右、裏、外、

qián hòu
前、後"

上面＝上邊 on top of; above

下面＝下邊 under; below

左面＝左邊 left

右面＝右邊 right

裏面＝裏邊 inside

外面＝外邊 outside

前面＝前邊 front

後面＝後邊 back

2. páng biān "旁邊" cannot be said as páng miàn "旁面"

3. duì miàn "對面" cannot be said as duì biān "對邊"

1

xiǎo māo zài nǎi nai
小貓在奶奶

de
的 ＿＿＿。

2

xiǎo māo zài qì chē
小貓在汽車

de
的 ＿＿＿。

3

xiǎo māo zài qì chē
小貓在汽車

de
的 ＿＿＿。

4

xiǎo māo zài nǎi nai
小貓在奶奶

de
的 ＿＿＿。

2 Reading comprehension.

xiǎo fāng de jiào shì zài èr lóu
小 方 的 教 室 在 二 樓，205

jiào shì　　xiǎo míng de jiào shì yě zài èr
教 室 。 小 明 的 教 室 也 在 二

lóu　　　jiào shì　　xiǎo wén de jiào shì zhèng
樓，203教 室 。 小 文 的 教 室 正

hǎo zài xiǎo fāng hé xiǎo míng de jiào shì de zhōng
好 在 小 方 和 小 明 的 教 室 的 中

jiān　　　　jiào shì　　wáng lǎo shī de bàn gōng
間，204教 室 。 王 老 師 的 辦 公

shì zài lóu xià　　　shì　　mǎ lǎo shī de
室 在 樓 下，104室 。 馬 老 師 的

bàn gōng shì zài wáng lǎo shī de bàn gōng shì de
辦 公 室 在 王 老 師 的 辦 公 室 的

gé bì　　　shì
隔 壁，105室 。

NOTE

lóu shàng
1. 樓上 upstairs

lóu xià
樓下 downstairs

shàng lóu
2. 上樓 go upstairs

xià lóu
下樓 go downstairs

zhōng jiān
3. 中 間 in between

lóu　　céng
4. 樓 ＝ 層 floor

Answer the questions.

xiǎo fāng de jiào shì zài jǐ lóu
(1) 小 方 的 教 室 在 幾 樓？

xiǎo wén　　xiǎo míng de jiào shì dōu
(2) 小 文 、 小 明 的 教 室 都

zài èr lóu ma
在 二 樓 嗎？

wáng lǎo shī de bàn gōng shì zài lóu
(3) 王 老 師 的 辦 公 室 在 樓

shàng hái shi lóu xià
上 還 是 樓 下？

mǎ lǎo shī de bàn gōng shì zài jǐ
(4) 馬 老 師 的 辦 公 室 在 幾

hào fáng jiān
號 房 間？

CD2 T17 Listen to the recording. Fill in the blanks with the words in the box.

wáng lǎo shī de bàn gōng shì zài hú lǎo shī de
(1) 王老師的辦公室在胡老師的＿＿＿。

wǒ bà ba de gōng sī jiù zài wǒ jiā
(2) 我爸爸的公司就在我家＿＿＿。

gāng qín　　　　yǒu yì zhāng shēng ri kǎ
(3) 鋼琴＿＿＿有一張生日卡。

xiǎo yún zuò zài wǒ de
(4) 小雲坐在我的＿＿＿，

xiǎo míng zuò zài wǒ de
小明坐在我的＿＿＿。

mào zi　　　yǒu yí ge wǎng qiú
(5) 帽子＿＿＿有一個網球。

lì shǐ shū de　　　　yǒu yì zhāng bái zhǐ
(6) 歷史書的＿＿＿有一張白紙。

shū diàn zài tǐ yù guǎn de
(7) 書店在體育館的＿＿＿。

dì di zǒu zài wǒ de　　　　　tā zǒu de hěn màn
(8) 弟弟走在我的＿＿＿，他走得很慢。

xué xiào de　　　yǒu yí ge zú qiú chǎng
(9) 學校的＿＿＿有一個足球場。

jiào táng de　　　yǒu yí ge gōng yuán
(10) 教堂的＿＿＿有一個公園。

xué xiào de　　　yǒu yí ge tíng chē chǎng
(11) 學校的＿＿＿有一個停車場。

(a) 上面　　(g) 對面

(b) 下面　　(h) 裏面

(c) 左面　　(i) 外面

(d) 右面　　(j) 旁邊

(e) 前面　　(k) 附近

(f) 後面　　(l) 隔壁

4　　Study the layout of the teaching block.

李老師　二樓　202室
王老師　204室
史老師　206室
張老師　一樓　102室
田校長　104室
夏老師　106室

Answer the questions.

zhāng lǎo shī de bàn gōng shì zài jǐ lóu
(1) 張老師的辦公室在幾樓？

tián xiào zhǎng de bàn gōng shì zài nǎr
(2) 田校長的辦公室在哪兒？

lǐ lǎo shī de bàn gōng shì zài nǎr
(3) 李老師的辦公室在哪兒？

shǐ lǎo shī de bàn gōng shì zài sān lóu ma
(4) 史老師的辦公室在三樓嗎？

xià lǎo shī de bàn gōng shì zài èr lóu ma
(5) 夏老師的辦公室在二樓嗎？

5 Write one sentence for each group of pictures.

Example

yóu yǒng chí zài zú qiú chǎng de yòu miàn
游泳池<u>在</u>足球場<u>的右面</u>。

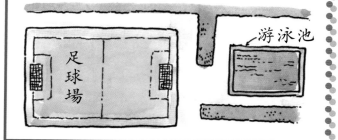
足球場

游泳池

Sentences indicating existence:

1. zài
   "在" sentence

   圖書館在禮堂左邊。
   The library is on the left side of the hall.

2. shì
   "是" sentence

   禮堂的左邊是圖書館。
   The library is on the left side of the hall.

3. yǒu
   "有" sentence

   書店後面有一個飯店。
   There is a restaurant behind the bookstore.

1

電腦室

音樂室

diào nǎo shì
電腦室 ＿＿＿＿＿＿＿＿＿。

2

學校

教堂

xué xiào fù jìn
學校附近 ＿＿＿＿＿＿＿。

3

校長室

辦公室

xiào zhǎng shì zài
校長室在 ＿＿＿＿＿＿＿。

4
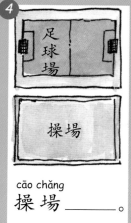
足球場

操場

cāo chǎng
操場 ＿＿＿＿＿。

5
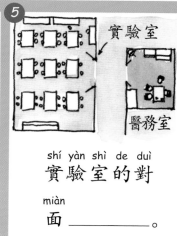
實驗室

醫務室

shí yàn shì de duì
實驗室的對

miàn
面 ＿＿＿＿＿。

6

教學樓

圖書館

jiào xué lóu
教學樓 ＿＿＿＿＿＿。

7

動物園

停車場

dòng wù yuán de páng biān
動物園的旁邊 ＿＿＿＿＿＿＿。

閱 讀（十四） 四大發明

中國是一個文明古國，遠在古代就有很多發明，其中最重要的"四大發明"是造紙術、指南針、火藥及印刷術。

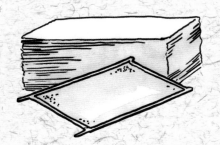

New Words

1. 發明 fā míng — invention
2. 文明 wén míng — civilization
3. 古國 gǔ guó — ancient country
4. 代 dài — historical period
   古代 gǔ dài — ancient times
5. 造 zào — make; build
   造紙術 zào zhǐ shù — paper making

6. 指 zhǐ — finger; point to
7. 針（针）zhēn — needle
   指南針 zhǐ nán zhēn — compass
8. 藥（药）yào — medicine
   火藥 huǒ yào — gun powder
9. 印 yìn — print
   印刷術 yìn shuā shù — printing

CD2 T19

王太太

王太太 (wáng tài tai):
你好! (nǐ hǎo)

家文 (jiā wén):
您好! 請問, (nín hǎo qǐng wèn)
小花在家嗎? (xiǎo huā zài jiā ma)

王太太 (wáng tài tai):
等一下, 我去看看。…… (děng yí xià wǒ qù kàn kan)
對不起, 她已經睡了。 (duì bu qǐ tā yǐ jīng shuì le)

家文 (jiā wén):
沒關係, 明天再說吧! (méi guān xi míng tiān zài shuō ba)

王太太 (wáng tài tai):
你是哪一位? (nǐ shì nǎ yí wèi)
你找她有事兒嗎? (nǐ zhǎo tā yǒu shìr ma)

家文

家文 (jiā wén):
我是小花的朋友, 家 (wǒ shì xiǎo huā de péng you jiā)
文。我沒事兒, 再見! (wén wǒ méi shìr zài jiàn)

王太太 (wáng tài tai):
再見! (zài jiàn)

115

jiā wén
家文: nǐ hǎo
你好!

家文

xiǎo huā
小花:
wǒ shì xiǎo huā　　nǐ zuó tiān wǎn shang
我是小花。你昨天晚上
dǎ diàn huà gěi wǒ　　yǒu shìr　ma
打電話給我,有事兒嗎?

jiā wén
家文:
xīng qī wǔ wǎn shang nǐ yǒu kòng ma　　wǒ men xué
星期五晚上你有空嗎?我們學
xiào yǒu yīn yuè huì　　nǐ xiǎng bu xiǎng qù
校有音樂會。你想不想去?

xiǎo huā
小花:
wǒ bù néng qù　　wǒ yǒu gāng qín kè　　nǐ
我不能去。我有鋼琴課。你
wèn wen bǎo yún ba　　tā kě néng huì qù
問問寶雲吧!她可能會去。

jiā wén
家文:
bǎo yún de diàn huà hào
寶雲的電話號
mǎ shì duō shao
碼是多少?

xiǎo huā
小花:
tā de diàn huà hào mǎ shì
她的電話號碼是2476 0038。

小花

jiā wén
家文: xiè xie　　zài jiàn
謝謝。再見!

xiǎo huā
小花:
zài jiàn
再見!

116

True or false?

jiā wén gěi xiǎo huā de mā ma dǎ diàn huà
( )(1)家文給小花的媽媽打電話。

jiā wén xiǎng qǐng xiǎo huā qù tā jiā kàn diàn shì
( )(2)家文想請小花去她家看電視。

xiǎo huā de xué xiào xīng qī wǔ wǎn shang yǒu yīn yuè huì
( )(3)小花的學校星期五晚上有音樂會。

xiǎo huā xīng qī wǔ wǎn shang méi yǒu kòng
( )(4)小花星期五晚上沒有空。

bǎo yún shì xiǎo huā de péng you
( )(5)寶雲是小花的朋友。

xiǎo huā yǒu bǎo yún de diàn huà hào mǎ
( )(6)小花有寶雲的電話號碼。

New Words

❶ mǎ
碼（码） a sign or thing indicating a number

diàn huà hào mǎ
電話號碼 telephone number

❷ qǐng
請（请） request; invite; please

qǐng wèn
請問 excuse me; one may ask

❸ děng yí xià
等一下 wait a minute

❹ duì bu qǐ
對不起 sorry; excuse me

❺ yǐ
已 already　yǐ jīng
已經 already

❻ guān
關（关） shut; turn off

❼ xì
係（系） system; faculty; related to

guān xi
關係 relationship

méi guān xi
沒關係 never mind

❽ ba
吧 particle

❾ wèi
位 place; position; measure word

nǎ yí wèi
哪一位 Who am I talking to ?

❿ shì
事 matter; thing

yǒu shìr
有事兒 occupied; busy

méi shìr
沒事兒 free; not busy

⓫ dǎ diàn huà
打電話 make telephone calls

dǎ diàn huà gěi
打電話給……＝

gěi　　　dǎ diàn huà
給……打電話 call somebody

⓬ kòng
空 blank; vacant; free time

yǒu kòngr
有空兒 free

méi kòngr
沒空兒 occupied; busy

⓭ yīn yuè huì
音樂會 concert

1

diàn huà hào mǎ
電話號碼

jī chǎng
(1) 機場：＿＿＿＿＿＿＿＿

nán shān zhōng xué
(2) 南山中學：＿＿＿＿＿＿

gōng kāi dà xué
(3) 公開大學：＿＿＿＿＿＿

tiān shān diàn yǐng yuàn
(4) 天山電影院：＿＿＿＿＿

zhōng yī xué yuàn
(5) 中醫學院：＿＿＿＿＿＿

tǐ yù zhōng xīn
(6) 體育中心：＿＿＿＿＿＿

2

Read aloud.

(1) 對不起！　　duì buqǐ

(2) 多謝！　　duōxiè

(3) 請問……？　　qǐngwèn…

(4) 請進！　　qǐngjìn

(5) 請坐！　　qǐngzuò

(6) 晚安！　　wǎnān

(7) 沒關係。　　méi guānxi

(8) 哪一位？　　nǎ yíwèi

3

Translation.

wǒ men zǒu ba
(1) 我們走吧！

wǒ men qù chī fàn ba
(2) 我們去吃飯吧！

zhōu mò nǐ lái wǒ jiā ba
(3) 周末你來我家吧！

xiū xi yí xià ba
(4) 休息一下吧！

jīn nián xià tiān wǒ men qù běi jīng ba
(5) 今年夏天我們去北京吧！

chuān dà yī ba   jīn tiān hěn lěng
(6) 穿大衣吧，今天很冷。

kuài qù shuì jiào ba
(7) 快去睡覺吧！

wǒ men huí jiā ba   míng tiān zài lái
(8) 我們回家吧！ 明天再來。

NOTE

ba
"吧" a particle for expressing request, consultation or proposal.

(a) 明天再說吧！
Leave until tomorrow.

(b) 你問問他吧！
Ask him !

4 Translation.

(1) qǐng jìn lai zuò yí zuò
請進來坐一坐。

(2) wǒ tīng ting   zhè yīn yuè hǎo tīng ma
我聽聽，這音樂好聽嗎？

(3) nǐ xiǎng xiang   nǐ zuó tiān qù nǎr   le
你想想，你昨天去哪兒了？

(4) wǒ qù wèn yí xià   huǒ chē shén me shí hou kāi
我去問一下，火車什麼時候開。

(5) wǒ kàn kan zhè tiáo qún zi   kě yǐ ma
我看看這條裙子，可以嗎？

(6) wǒ kě yǐ shì yí xià zhè tiáo niú zǎi kù ma
我可以試一下這條牛仔褲嗎？

(7) wǒ kě yǐ wán yí xià nǐ de diàn nǎo yóu xì ma
我可以玩一下你的電腦遊戲嗎？

NOTE

děng yi děng   děng yí xià
"等一等" / "等一下"

děng deng
/ "等等" wait a minute

All these expressions imply a short and quick action, and express an attempt or trial.

More examples:

(a) 你去問問。Go and ask.

(b) 我看一下，好嗎？
Can I have a look?

5 What would you say in Chinese ?

(1) If you step on somebody's foot, 對不起！_____

(2) If somebody has done you a favour, _____

(3) If you meet somebody whom you have not seen for some time, _____

(4) If you want to make an enquiry, _____

(5) If you welcome somebody into your house, _____

(6) If you offer somebody a seat, _____

(7) If you meet somebody in the morning, _____

(8) If somebody says "thank you" to you, _____

對話 1　張國生

qǐng wèn　tián lì zài jiā ma
－ 請問，田力在家嗎？

duì bu qǐ
－ 對不起。

wǒ jiào huáng míng dōng　shì tián lì
－ 我叫黃明東，是田力

de péng you
的朋友。

nǐ shì nǎ yí wèi
－ 你是哪一位？

méi guān xi
－ 沒關係。

nǐ dǎ cuò diàn huà le
－ 你打錯電話了。

黃明東

對話 2　田力

sān diǎn bàn de　sān diǎn wǒ zài diàn
－ 三點半的。三點我在電

yǐng yuàn mén kǒu děng nǐ　hǎo ma
影院門口等你，好嗎？

yín zhōng diàn yǐng yuàn
－ 銀鐘電影院。

tián lì　wǒ shì huáng míng dōng
－ 田力，我是黃明東。

nǐ míng tiān xià wǔ yǒu kòng ma
你明天下午有空嗎？

wǒ men yì qǐ qù kàn diàn yǐng
－ 我們一起去看電影，

hǎo ma
好嗎？

míng tiān jiàn
－ 明天見！

hǎo　qù nǎ ge diàn yǐng yuàn
－ 好。去哪個電影院？

hǎo　míng tiān jiàn
－ 好。明天見！

yǒu kòng
－ 有空。

wǒ men kàn jǐ diǎn de diàn yǐng
－ 我們看幾點的電影？

17

7 Give the meanings of the following expressions.

zǒng jī
(1) 總機 _____

fēn jī
(2) 分機 _____

huà wù yuán
(3) 話務員 _____

shǒu jī
(4) 手機 _____

dǎ diàn huà
(5) 打電話 _____

diàn huà hào mǎ
(6) 電話號碼 _____

huí diàn huà
(7) 回電話 _____

nǎ yí wèi
(8) 哪一位 _____

dǎ cuò le
(9) 打錯了 _____

duì bu qǐ
(10) 對不起 _____

méi guān xi
(11) 没關係 _____

bú xiè
(12) 不謝 _____

8 Act out the telephone conversation below, then make a similar one of your own.

zǒng jī　nǐ hǎo　dà xīng jìn chū
總機：你好！大興進出
kǒu gōng sī
口公司。

xiǎo míng　nǐ hǎo　qǐng zhuǎn　fēn jī
小明：你好！請轉276分機。

zǒng jī　hǎo　qǐng děng yi děng
總機：好，請等一等。

mì shū　nǐ hǎo
秘書：你好！

xiǎo míng　nǐ hǎo　wǒ shì xiǎo míng　qǐng
小明：你好！我是小明。請
wèn　wǒ bà ba zài gōng sī ma
問，我爸爸在公司嗎？

mì shū　nǐ bà ba bú zài　tā
秘書：你爸爸不在，他
chū qu kāi huì le
出去開會了。

xiǎo míng　tā shén me shí hou huí lai
小明：他什麼時候回來？

mì shū　wǔ diǎn bàn zuǒ yòu
秘書：五點半左右。

xiǎo míng　xiè xie　wǒ liù diǎn yǐ qián zài dǎ
小明：謝謝。我六點以前再打
lái
來。

mì shū　hǎo ba　zài jiàn
秘書：好吧，再見！

閱讀（十五）故宮 CD2 T21

běi jīng de gù gōng yòu jiào zǐ jìn chéng shì zhōng guó lì
北京的故宮，又叫紫禁城，是中國歷

shǐ shang míng qīng liǎng dài de huáng gōng cóng míng cháo de dì sān
史上明、清兩代的皇宮。從明朝的第三

ge huáng dì dào qīng cháo de
個皇帝到清朝的

mò dài huáng dì xiān hòu
末代皇帝，先後

yǒu wèi huáng dì zài gù
有24位皇帝在故

gōng li zhù guo
宮裏住過。

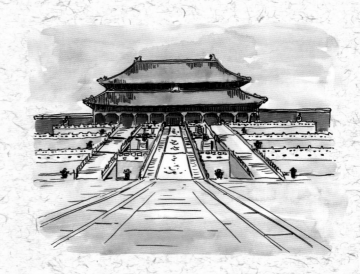

New Words

1 禁 jìn prohibit; ban
紫禁城 zǐ jìn chéng the Forbidden City

2 明代 míng dài the Ming Dynasty

3 清 qīng clear; quiet
清代 qīng dài the Qing Dynasty

4 皇 huáng emperor
皇宮 huáng gōng imperial palace

5 朝 cháo court; dynasty; facing
明朝＝明代 míng cháo míng dài the Ming Dynasty
清朝＝清代 qīng cháo qīng dài the Qing Dynasty

6 帝 dì God; emperor
皇帝 huáng dì emperor

7 末代 mò dài the last reign of a dynasty

8 先後 xiān hòu one after another

第十八課　請他給我回電話

李太太

李太太：你好！

黃遠：您好！我是黃遠。請
新明接電話，好嗎？

李太太：他剛才還在，我不知道
他現在去哪兒了。你找
他有事兒嗎？

黃遠：明晚我們學校有歌舞表演，我
想叫他一起去。他回來以後，
讓他給我回一個電話，好嗎？

黃遠

李太太：好吧！他一回來，
我就告訴他。

黃遠：謝謝您。再見！

李太太：不客氣。再見！

123

（　）(1) huáng yuǎn dǎ diàn huà gěi xīn míng de shí hou　　xīn míng bú zài jiā
黄遠打電話給新明的時候，新明不在家。

（　）(2) huáng yuǎn xiǎng qǐng xīn míng qù tiào wǔ
黄遠想請新明去跳舞。

（　）(3) huáng yuǎn de xué xiào míng wǎn yǒu gē wǔ biǎo yǎn
黄遠的學校明晚有歌舞表演。

（　）(4) xīn míng de mā ma zhī dao xīn míng qù nǎr　　le
新明的媽媽知道新明去哪兒了。

（　）(5) huáng yuǎn ràng xīn míng gěi tā huí diàn huà
黄遠讓新明給他回電話。

（　）(6) lǐ tài tai bú huì ràng xīn míng dǎ diàn huà gěi huáng yuǎn
李太太不會讓新明打電話給黄遠。

New Words

1. huí diàn huà 回電話 return the phone call

2. jiē 接 connect; receive; meet
   jiē diàn huà 接電話 answer the phone

3. gāng 剛（刚）just; exactly

4. cái 才 talent; ability; just
   gāng cái 剛才 just now; a moment ago

5. zhī 知 know; inform

6. dào 道 road; way; measure word
   zhī dao 知道 know; be aware of

7. zhǎo 找 look for; ask for; give change

8. yǎn 演 perform; play　biǎo yǎn 表演 performance

9. ràng 讓（让）give way; let

10. gào 告 tell; inform

11. sù 訴（诉）tell; inform
    gào su 告訴 tell; let know

12. kè 客 visitor; traveller; customer
    kè qi 客氣 polite
    bú kè qì 不客氣 impolite; you are welcome

18

1 🔊 Read aloud.

(1) 表演　biǎoyǎn

(2) 剛才　gāngcái

(3) 知道　zhīdao

(4) 告訴　gàosu

(5) 不客氣　bú kèqi

(6) 接電話　jiē diànhuà

2 Match the words in column A with the ones in column B.

A

(1) xiè xie 謝謝!

(2) duì bu qǐ 對不起。

(3) qǐng zuò 請坐!

(4) nǐ hǎo 你好!

(5) qǐng jìn 請進!

(6) zài jiàn 再見!

B

(a) méi guān xi 没關係。

(b) xiè xie 謝謝!

(c) zài jiàn 再見!

(d) bú kè qi 不客氣。

(e) nǐ hǎo 你好!

3 CD2 T23　Listen to the recording. Circle the right answer.

(1) A: nǐ shì shén me shí hou dǎ diàn huà gěi tā de 你是什麼時候打電話給他的?
B: wǒ shì xià wǔ＿＿＿＿dǎ de 我是下午＿＿＿＿打的。

(a) 三點　(b) 三點半　(c) 四點半

(2) A: nǐ gěi wáng dà nián huí diàn huà le ma 你給王大年回電話了嗎?
B: wǒ＿＿＿＿gěi tā huí le diàn huà 我＿＿＿＿給他回了電話。

(a) 昨天　(b) 剛才　(c) 前天

(3) A: nǐ shì zài nǎr jiàn dao xiào zhǎng de 你是在哪兒見到校長的?
B: wǒ shì zài＿＿＿＿jiàn dao tā de 我是在＿＿＿＿見到他的。

(a) 圖書館　(b) 校園裏　(c) 商場

(4) A: nǐ zài zhǎo shén me 你在找什麼?
B: wǒ zài zhǎo wǒ de 我在找我的＿＿＿＿。

(a) 錶帶　(b) 手錶　(c) 手機

(5) A: xiào yī zài nǎr 校醫在哪兒?
B: tā＿＿＿＿xià bān le 她＿＿＿＿下班了。

(a) 剛才　(b) 已經　(c) 早就

(6) A: qǐng wèn xiào bàn gōng shì zài nǎr 請問, 校辦公室在哪兒?
B: zài lǐ táng de 在禮堂的＿＿＿＿。

(a) 旁邊　(b) 隔壁　(c) 對面

1

— ^{wǒ shì lǐ míng} 我是李明。^{huáng xīn zài jiā ma} 黃新在家嗎?

— ^{huáng xīn shén me shí hou huí lai} 黃新什麼時候回來?

— ^{huáng xīn bú zài jiā} 黃新不在家。^{tā qù xué xiào le} 他去學校了。

— ^{tā wǔ diǎn bàn zuǒ yòu huí lai} 他五點半左右回來。

— ^{qǐng ràng tā gěi wǒ huí ge diàn huà} 請讓他給我回個電話,^{hǎo ma} 好嗎?

— ^{xiè xie} 謝謝。^{zài jiàn} 再見!

— ^{hǎo} 好。^{zài jiàn} 再見!

2

— ^{qǐng wèn} 請問,^{xiǎo gāng zài jiā ma} 小剛在家嗎?

— ^{tā huí lai yǐ hòu} 他回來以後,^{ràng tā gěi wǒ} 讓他給我^{huí ge diàn huà} 回個電話,^{hǎo ma} 好嗎?

— ^{wǒ shì wáng lǎo shī} 我是王老師。

— ^{qǐng wèn} 請問,^{nín shì nǎ yí wèi} 您是哪一位?

— ^{duì bu qǐ} 對不起,^{wǒ bù zhī dao} 我不知道。

— ^{hǎo} 好。^{tā yì huí lai wǒ jiù ràng tā} 他一回來我就讓他^{gěi nín huí diàn huà} 給您回電話。

— ^{wǒ zhǎo tā yǒu shìr} 我找他有事兒。^{tā shén me} 他什麼^{shí hou huí lai} 時候回來?

— ^{hǎo} 好。^{zài jiàn} 再見!

— ^{wáng lǎo shī} 王老師,^{nín hǎo} 您好。^{nín zhǎo tā} 您找他^{yǒu shìr} 有事兒^{ma} 嗎?^{tā bú zài jiā} 他不在家。

3

— ^{nǐ hǎo} 你好!^{wǒ shì xiǎo fāng} 我是小方。^{wáng shū wén} 王書文^{zài ma} 在嗎?

— ^{nǐ míng tiān xiǎng bu xiǎng qù qí mǎ} 你明天想不想去騎馬?

— ^{xíng} 行,^{wǒ sān diǎn zài jiā děng nǐ} 我三點在家等你。

— ^{wǒ jiù shì} 我就是。^{yǒu shìr ma} 有事兒嗎?

— ^{kě yǐ} 可以。^{jǐ diǎn qù} 幾點去?

— ^{hǎo} 好。^{wǒ sān diǎn qù nǐ jiā zhǎo nǐ} 我三點去你家找你。

— ^{wǒ men sān diǎn zǒu} 我們三點走,^{xíng bu xíng} 行不行?

5 CD2 T24 Listen to the recording. Match the sentences in column A with the ones in column B.

Ⓐ

(1) 請你讓他給我回電話，好嗎？

(2) 請告訴他我明天不去上班。

(3) 你知道他的電話號碼嗎？

(4) 對不起，我打錯電話了。

(5) 你今天晚上有空嗎？

(6) 你找他有事兒嗎？

(7) 你剛才去哪兒了？

(8) 請田校長接電話。

(9) 請接 5462 分機。

(10) 您是哪一位？

Ⓑ

(a) 没關係。

(b) 我去學校了。

(c) 我是孔醫生。

(d) 知道，2117 6435。

(e) 我找他有事兒。

(f) 好，請等一等。

(g) 有空。有事兒嗎？

(h) 好，我會告訴他的。

(i) 對不起，他正在開會。

(j) 好。他一回來我就讓他給你回電話。

謎 語 Riddle

yì zhǒng niǎo
一 種 鳥，

xiàng huā māo
像 花 貓。

bái tiān bù chū lai
白 天 不 出 來，

wǎn shang bú shuì jiào
晚 上 不 睡 覺 。

（打一動物）

Example

zhāng lì dǎ diàn huà gěi xiǎo míng xiǎo míng de mā ma
張力打電話給小明。小明的媽媽

jiē diàn huà xiǎo míng bú zài jiā tā qù kàn diàn yǐng
接電話。小明不在家，他去看電影

le zhāng lì xiǎng ràng xiǎo míng gěi tā huí ge diàn huà
了。張力想讓小明給他回個電話。

xiǎo míng de mā ma nǐ hǎo
小明的媽媽：你好！

Situation 1

nǐ dǎ diàn huà gěi nǐ péng you dōng
你打電話給你朋友冬

míng tā mèi mei jiē de diàn huà dōng
明，他妹妹接的電話。冬

míng qù mǎi dōng xi le nǐ xiǎng ràng dōng
明去買東西了。你想讓冬

míng gěi nǐ huí yí ge diàn huà
明給你回一個電話。

zhāng lì nín hǎo xiǎo míng zài jiā ma
張力：您好！小明在家嗎？

xiǎo míng de mā ma nǐ shì nǎ yí wèi
小明的媽媽：你是哪一位？

zhāng lì wǒ shì xiǎo míng de péng you zhāng lì
張力：我是小明的朋友，張力。

xiǎo míng de mā ma xiǎo míng bú zài jiā，
小明的媽媽：小明不在家，

qù kàn diàn yǐng le
去看電影了。

Situation 2

nǐ dǎ diàn huà gěi wáng yī shēng
你打電話給王醫生，

hù shi jiē de diàn huà hù shi shuō wáng
護士接的電話。護士説王

yī shēng zǎo shang bú shàng bān xià wǔ
醫生早上不上班，下午

yī diǎn lái yī yuàn nǐ ràng hù shi gào
一點來醫院。你讓護士告

su wáng yī shēng nǐ xià wǔ sān diǎn zài
訴王醫生，你下午三點再

dǎ diàn huà gěi wáng yī sheng
打電話給王醫生。

zhāng lì xiǎo míng huí jiā yǐ hòu ràng tā gěi
張力：小明回家以後，讓他給

wǒ huí ge diàn huà hǎo ma
我回個電話，好嗎？

xiǎo míng de mā ma hǎo zài jiàn
小明的媽媽：好。再見！

zhāng lì zài jiàn
張力：再見！